未完のレーニン

〈力〉の思想を読む

白井　聡

講談社学術文庫

学術文庫版まえがき

本書は、私が最初に単行本として世に送り出した著作である（二〇〇七年）。このたび、講談社学術文庫のラインナップに加わることとなったのは、個人的に感慨深いものがある。

この文庫版のゲラを受け取り、原稿の全部に目を通したとき、一五年以上も前に自分が書いたものを読み返し理解するのは、ほとんど他人の書いたものを理解するのに等しい気がした。しかし、読み進むにつれて、不思議な感覚が湧いてきた。一五年前のものだとはいっても古くはない、本書の核心部は古びていない、と気づかされたからだ。

本書の元となる原稿を書いていたとき、私の最初の探求心は、やや抽象的な言い方になるが、この世界の「外部」はいかにして開かれるのか、そもそもそれは可能なことなのか、という問いに向けられていた。ソヴィエト連邦と現存社会主義諸国家が体制崩壊し、「資本主義に外部はない」と言われ始めてから、そのとき一五年近くが経とうとしていた。人間がいまここにある世界の「外部」の観念を失ったとき何が起こるのか、「外部」がないということに人間は耐えられるのか。そのような問いと不安に衝き動かされてレーニンの研究に向かったのだ、といまからならば自分の動機を整理できる気がする。

だが当時、原稿を発表するために手を加え、本書にまとめてゆく過程で、コンセプトは微妙に変化していった。その理由は、外的状況、すなわち小泉改革以降の新自由主義化の影響がはっきりと日本社会に現れてきたことにあった。格差、貧困が頻繁に報道され始め、「下流」等の「新しい階級社会」の出現を告げる概念が次々に登場した。そうした文脈のなかで、本書は、これらの現象を資本主義が必然的に生み出すことを論証し、そしてレーニンがそれらをどう認識し、いかにして覆そうとしたのかを分析することへと、主題の重心を移して仕上げられることとなった。簡単に言えば、思想史研究の体裁を取りながらも、研究対象の現代的意義を強調する傾向が加えられたのである。

そして、本書刊行の翌年にはリーマン・ショックが起こる。「市場からの国家の退場」を声高に叫んでいた新自由主義は、理論的に完全に破綻した。トマ・ピケティの著作が世界的ベストセラーとなり、ウォールストリート占拠運動（アメリカ）やイエローベスト運動（フランス）など、憤った民衆の直接行動が世界各地で続発した。さらにそれらに引き続くようにして、現在では環境変動をめぐって激しい告発の声があがっている。これらはすべて同じことを告げている。「資本主義はもう限界」であり、「資本主義の擁護者はイカサマ師だ」と。

このことに鑑みたとき、本書の記述が、レーニンに即して資本主義の破壊性を原理的に分析することに注力したことは、当を得ていたと言えるのかもしれない。それゆえに本書の分析は、アクチュアリティを失っていない、と言えるのかもしれない。

しかしながら、この「成功」については、苦々しい思いがこみ上げる。もちろん私ばかりでなく、私よりもはるかに影響力があり高い学識を持った多くの人々が、新自由主義を批判し、資本主義を原理的な次元で批判してきた。そして、現に資本主義のクラッシュも起きた。資本主義のグローバル化を一要因とするパンデミックも起きた。にもかかわらず、階級格差の拡大は止まらない。本書では「資本主義の純粋化が進行している」という表現を使ったが、その傾向は止まらず、周回遅れの新自由主義化を続ける日本のような国では、なお一層それが当てはまる。

さらには、リーマン・ショックの抑え込みは、中国の強大化に帰結した。世界資本主義の大崩壊を食い止めた国が発言権を要求し、自己主張を増大させることを誰が止めることができよう。とはいえ、旧来の覇権国が黙って既得権益を手放すわけもない。そこに現れるのは当然、帝国主義の角逐、緊張であり、戦争の危機である。

だが、状況がまさにそのようなものであるからこそ、本書の原初のモチーフであった「外部の喪失」という問題がアクチュアリティを帯びているのではないか、と私はあらためて本書を読み進みながら思い至った。「外部のなさ」を「資本主義リアリズム」と名づけた英国の批評家、マーク・フィッシャーは鬱病を悪化させてついには自ら命を絶った。フィッシャーを追い込んだ苦悩は、現代世界において普遍的なものだと私は信ずる。どう見ても間違った構造のなかに自分たちがいることに気づいているのに、それをどうすることもできないという苦悩こそ、新型コロナウイルスと同じように、世界中に広がってきた精神状態にほかならない。

だからこそ、「外部」は開かれうることの可能性をもう一度探求してみることの意義は、いままさに高まったのではないか。レーニンは、第一次世界大戦の勃発と、第二インターナショナルの破産という、それこそ苦悩の極みから起ち上がって、ボリシェヴィキ革命を成就させた。本書が取り組む彼のテクストは、今日のわれわれはまだ絶望するには早すぎることを教えてくれる。そのような意味で、本書の原稿が書かれた初発の問題意識から読者が何かを感じ取ってくれることを著者としては心から願っている。

この文庫版を出版するにあたって、講談社選書メチエ版からの変更点は次のとおりである。文章全般に目を通し、表現の面で至らないと感じられた箇所などに手を加えたが、全面的なものではない。また、本書はレーニンやロシア革命について一定の知識をもった読者を前提としているが、この方面に不案内な読者の理解に資するために、とある社会思想史の教科書のために執筆したレーニン入門の文章を巻末に収録した。必要なかぎりで本文を読む前にそちらに目を通して、本文の理解に役立てていただきたい。

また、國分功一郎氏が解説を執筆してくれた。大学時代からその謦咳に接し、多くを学ばせてもらった同氏に本書精読と論評の労をとっていただいたことは、この上ない喜びだ。本書に読みどころがひとつ増えたことを読者にお知らせしたいと思う。

二〇二一年一〇月

京都・衣笠にて　　著者

目次

第三部 『国家と革命』をめぐって

未完のレーニン

〈力〉の思想を読む

はじめに

偶像としてのレーニン

レーニン（一八七〇～一九二四年）とは誰か？　彼のつくり出したソヴィエト連邦が消滅して以来だいぶ月日も経った今日では、本書を手に取った人のなかには、彼についての具体的なイメージをほとんど持っていない人もいるかもしれない。彼のことをよく知る人にとっても、よく知らない人にとっても、彼の名を聞いて真っ先に思い浮かぶのは、おそらく、かつてヨーロッパの社会主義諸国のいたるところで目にすることができた（ロシアでは今でも少なからず目にすることができる）レーニンの像ではないだろうか。この事実は示唆的だ。おそらく、レーニンという人物は、何を措いてもまず「偶像」なのである。

ところで偶像というものは摩訶不思議な効果をもっている。偶像化されたものが正しき者であるならば、礼拝者はそれに同一化することによって、自分も正しい者であるような気がしてくる。逆に、偶像が正しくない間違った者であるのならば、それを打ち壊せば、破壊者は自分が正しい者であるような気がしてくる。実に不思議なことだ。偶像を崇拝することも破壊することも、それ自体は何の善をも生み出してはいないであろうに。

さて、レーニン像の多くはすでに引き倒された。しかしながら、これらの偶像はまだ不思議な効果を失っておらず、まるで亡霊のようにわれわれにとり憑いているように思われる。

それはもちろん、未だにレーニンを絶対無謬《むびゅう》の革命家・指導者として信奉する人びとがこの世の中に数多くいる、などということではない。残存しているのは、偶像破壊の快楽だ。つまり、社会主義圏がほとんど実質的に地球上から消滅し、彼の創始した政治は劇的に破綻したことが明らかになった今でも、「レーニン神話を解体」などと帯に謳った新刊書が書店に陳列されている、という現象がそれを物語っている。

「リアルなもの」

くりかえせば、レーニン像はすでに引き倒された。ならば、偶像としての彼ではなく彼そのものになぜ向かって行ってはならないのだろうか？　彼のことをよく知っている人たちにとっても、また彼について何も知らない人たちにとっても、レーニンがどれほど特異な考え方をする人であったかを知るための手掛かりになるであろうエピソードをひとつ紹介するところからはじめよう。

第一次世界大戦中、レーニンはチューリッヒに亡命生活を送っていたが、市内のとあるカフェで、革命家に議論を吹っかけてきたルーマニア出身の若い詩人に向かって、彼はつぎのような言葉を発したという。「君がどれほどラディカルであるのか、また私がどれほどラディカルであるのか、私にはわからない。きっと私は十分にラディカルではないだろう。人が十分にラディカルであることなど決してあり得ない。それはつまり、人は現実そのものと同じだけラディカル（as radical as reality itself）であろうとつねに努めなければならない、ということだ」[1]、と。

レーニンの考えでは、本質的にラディカル（根源的・急進的）であるのは、人間の人物や行動ではなかった。それは革命家が脳髄の中《うち》に所有する思想でもなかった。本質的にラディカルであるのは現実、「リアルなもの」そのものだけであった。この言葉を吐いてからほどなくして、レーニンはロシアに戻り社会主義革命を決行することとなる。それは、すでに現実的（リアル）なものとなった革命をより急進化することであった。つまり、彼の企てたことは、そもそももっともラディカルなものである現実に働きかけて、それをより一層ラディカルなものとするということにほかならなかった。革命と呼ばれる社会現象は、社会内に潜在していた諸矛盾が爆発的に露呈する、つまりリアルなものを押しとどめていた殻が破れて社会の本当の中身が溢れ出て来る現象である。してみれば、彼の企てたこと、革命を急進化するということは、リアルなものをより一層リアルなものとするということにほかならなかった。

そして、アラン・バディウが言うように、二〇世紀とは「リアルなもの」にとり憑かれた世紀であった[2]。フロイトは人間の精神において理性よりももっとリアルなものとしての無意識を探求したのであったし、現象学の始祖フッサールは世界が人間に対してより一層リアルに現前しうるための哲学を構想したのだった。リアルなものの探求におけるこれらの巨人たちのリストからレーニンが省かれる理由など、どこにも見当たりはしない。彼が為した、為そうとしたことは、リアルなものの最高の爆発的露呈としての革命を組織することにほかならなかったのであり、それはまさに特異な頭脳によって構想されたプロジェクトであった。

しかしながら、いま彼の名を招喚すること、社会主義革命について語ることなど、まさに「リアルなもの」からもっとも遠いことではないか、と考える人もいるかもしれない。レーニンが生きていた歴史的世界、彼が理論的に想定した世界は、現代世界とはまったく違ったものではないか、と。

今日の「リアル」

筆者の考えでは、この意見は、ある部分では妥当である一方で、ある部分では間違っている。現代社会には、ロシア革命時における労働者階級のような現存社会を転覆しようとする社会的勢力が容易には見出せそうにないという意味で、世界は大きく変わった。その一方で、資本主義に基づく社会構造のあり方はレーニンが革命を企てた時代のそれに似通っている。なぜなら、広大な帝国であったソヴィエト連邦がもはや存在しないいま、資本が労働者階級と妥協する必然性は存在しないからである。だから、近年多くの人びとが語っているように、世界の多くの地域で現代の資本主義は徐々に「純粋資本主義」に近づきつつある、と言えるだろう。つまり、われわれがいま生きている世界は、否定的な側面ではレーニンの時代に似ており、肯定的な側面ではそれと似ていないという、全き不幸な状態にある。

本書がめざすのは、レーニンが遺したいくつかのテクストを精読することによって、「リアルなもの」にかかわる二つの事柄を探求することである。ひとつには、リアルなものをとらえ、それに働きかけるレーニンの身振りである。そしてもうひとつには、現代世界においてふたたび形成されつつある、純粋な資本主義が必然的にもたらす社会構造・国家のリアルな姿である。われわれは、それをレーニンの言説を通して垣間見ることができる。もちろんレーニンは、そこから一歩踏み込んで、これらを転覆させ本当にリアルなものを露呈させるところにまで進んで行った。そこに彼の真面目がある。それをとらえるとき、われわれは特異と言うほかない彼の思考・言説の特質に出会う。そのときにわれわれは知ることになるだろう、レーニンとは誰かということを。

第一部　躍動する〈力〉の思想をめぐって

第一章　いま、レーニンをどう読むか？

1　レーニンのアクチュアリティ

『グッバイ、レーニン！』

革命からわずか七年後、一九二四年にヴラジーミル・イリイチ・レーニンが世を去ったとき、革命の桂冠詩人マヤコフスキーはこう歌い上げた。「レーニンは生きた、レーニンは生きている、レーニンは生き続ける」、と。

さて、革命から九〇年を経たいま、試しに「レーニン」をインターネット上で検索してみると、大挙して眼に飛び込んで来るのは二〇〇三年にドイツで制作され好評を博した映画『グッバイ、レーニン！』に関連する項目の数々だ。この落差たるや瞠目すべきものである。この現状が示しているのは、つまり、世界中の誰もが彼に対してはただひたすら訣《わか》れを告げ、忘れることを願っているということなのだろうか。そして、この落差ははたして正当なものなのだろうか。

とはいえ、このコメディー・タッチの映画そのものは心温まる快作である。粗筋を簡単に説明しよう。舞台はベルリンの壁が崩壊する直前の東ベルリン、主人公のアレクサンドルという名の青年の母親は心臓発作を起こし昏睡状態に入ってしまう。彼女が眠っている間に、ベルリンの壁は崩壊、東ドイツ国家は消滅しはじめ、環境は激変する。やがて彼女は眼を覚ますが、担当医師は彼女に精神的ショックを与えると命取りになるということを彼女の子どもたちに告げる（この家庭は父親が西側に出て行ったという設定になっている）。そこからアレクサンドル青年の大奮闘がはじまる。というのも、小学校の教師であった母親は熱心な社会主義者であり、この数ヵ月の激変を知ってしまったならば、それこそ心臓が止まりかねない、と予測されるからだ。そこで主人公は、壁の崩壊後瞬く間に姿を消した東独製の瓶詰めピクルスを捜し廻ったり、母親の誕生日のお祝いにやってくる教え子たちに小遣いを握らせて社会主義を讃える歌を歌わせたりと、要するに、あたかも何事も起こっていないかのように装うための奔走をくりひろげることになる。特に難題なのは、母親がテレビを観たいと言い出したときである。もちろん、普通に観せてしまえば彼女はすべてを知ることになる。そこで主人公は、映

映画『グッバイ、レーニン！』（2003年）より。ヘリに吊るされて運び去られるレーニン像。この印象的なシーンは、この映画の標題だけではなく、密かに込められたメッセージをも伝えているように思われる。

像制作マニアの友人の協力を仰いで、それらしく見える偽のニュース番組のビデオテープを作成し、その映像を母親に観せる……。

この映画の筋書きで肝になっているのは、そうこうするうちに、主人公の行動の目的が微妙に変化してしまうことである。すなわち、心優しいアレクサンドル青年は、もともとはただひたすら母の延命を願って隠蔽工作に奔走していたのだが、物語の最後ではついに単なる隠蔽を超えて手の込んだでっち上げをおこなうに至る。つまり、ベルリンの壁の崩壊に歓喜する人びとの映像を素材として、東独が国境を開放することによって西独を吸収し、かつ同時に東独が開かれた真の社会主義をめざす根本的な体制転換をおこなったと報じる、事実と正反対のニュース番組のビデオをつくってしまうのである。そして母親は、このニュースを見た後ほどなくして安らかに息を引き取る。

このでっち上げのニュース番組は、本来母親ただひとりに観せるためにつくられたという意味でささやかなものではある。しかし、同時にそれは、母親の延命装置を超えたささやかならざる何かになっており、それによってこの映画作品は単なる家族愛への賛歌を超えてある種の政治的メッセージを帯びることになる。それゆえに、映画の終盤の物語にはかすかなほろ苦さが漂っている。そこででっち上げのニュース番組として映し出されるのは、社会主義者の母親がかくあって欲しいと願っていた理想の東ドイツ国家の姿にほかならないが、それはまた、所謂「現存した社会主義」が最初に持っていた理想、挫折した理想の切れ端でもある。

映画内でこの理想が語り出されなければならなかった必然性は、自由主義陣営による社会主義陣営の吸収が人びとに普遍的な幸福をもたらしたわけでは決してなかった、ということにある。作品に即して言えば、壁の崩壊後、主人公一家の隣人の年配者は失業し、母親の立派な上司であった校長は酒に溺れてしまう。そして、作品中で何にも増して強調される「自由と民主主義の偉大な勝利」のもっとも眼に触れやすい成果——あるいは、それこそが「勝利」のまさに真実であるのかもしれないが——は、壁の崩壊後即座に街中に溢れかえったコカ・コーラやマクドナルドのロゴであった。こうして、でっち上げられたニュースが映し出す挫折した理想世界の像は、単に甘美なノスタルジーとして現れているのではない。それはもっと切実な何かであり、現実の耐え難い俗悪さに抗して対置されなければならなかったものにほかならない。

「外部は在る」

この映画が観る者に独特な感慨を催させるのは、おそらく、映画の内容が『グッバイ、レーニン！』という題名と合致していないばかりか、究極的には逆のことすらをも告げているためであろう。このことを裏づけるのは、本作品でもっとも鮮烈な印象を与える場面（二三頁の写真を参照）だ。このシーンは、やや体力を回復した母親が主人公の目を盗んで外出したところ、取り外されヘリコプターに吊るされて運搬されている巨大なレーニン像を偶然目撃してしまうという場面である（ちなみに、この光景を目撃してもなお、彼女は新しい状況をほとんど把握できない)。このとき、レーニンは自らの名を冠して築かれてきたものが廃墟と化しつつあるのを見つめながら飛び去って行きはするが、彼の仕草は訣れの挨拶をしているというよりも、むしろ何かを真剣に語ろうとしているものであるように見える。蛇足を承知で言えば、レーニン像のポーズがそもそもそういうものであるということ以上に、そう見えることを狙って映像が撮られていると考えるべきであろう。

そして、既述したとおりの展開で物語は締め括られるが、例のでっち上げのニュース番組の内容は、ロシア革命を端緒とする先進諸国での社会主義革命の連鎖的発生というレーニンが革命当初に抱いていたヴィジョンにどことなく似通っているという印象を与えるものである。してみれば、こう言ってしまえばはたして言い過ぎになるだろうか、『グッバイ、レーニン!』のメタ・メッセージとは「レーニンは生きた、レーニンは生きている、レーニンは生き続ける」にほかならない、と。あるいは、これが言い過ぎならば、もっと控えめに言おう。ここに現れている真実とは、レーニンに訣れを告げたことによって、かえって逆に、人びとはレーニンの名によって語られるような何かにふたたび出会わざるをえないような状況に投げ込まれつつあるということではないのか、と。

もちろん、このことは旧社会主義諸国の人びとにとってのみ当てはまることではない。それは、まさにグローバルな、したがって「われわれの」問題であらざるをえない。なぜなら、世界がレーニンに訣れを告げたということが意味するのは、社会を構成する根本原理は資本主義以外にいっさい存在しないということを全面的に認めることにほかならず、この原則は全世界に適応されるからである。一九九一年のソヴィエト連邦の崩壊は、このことを意味したのだと考えられるわけだが、その含蓄するところはこれだけにとどまらない。もちろん、「西側」の世界はそれまでもずっと資本主義を中心原理に据えてきた。だが、それはいわば「不純な」資本主義であった。それは、広大な社会主義圏という別の原理を奉じている（と称する）社会を横目に見ないわけにはいかなかった以上、不純なものであらざるをえなかった。そして、この歯止めは消え去った。したがって、資本主義を不純なものにしておく具体的な理由は、今日どこにも存在しないのである。このことが、例えば、総中流社会が意識の上でも現実的にも完全に崩壊した日本においても明白に現れているのは言うまでもない。

かつてレーニンの眼に見える遺産が生きていた時代には、彼の所業・遺したものに対して、東の人びとも西の人びとも大いに不平を鳴らしてきた。それはもっともなことではあった。彼の遺産がまだ存在していたとき、彼の語ったことは大言壮語にすぎず、彼のつくり出したものは出来損ないの畸形的国家にすぎないように見えた。

しかしながら、レーニンの事業の具体的成果が崩れ去って約一五年の月日が経ち、ソ連崩壊の世界史的帰結と思想的意味がその不吉な姿を具体的に現しつつある今日、彼の歴史的意味は明らかに変わりつつあるように思われる。すなわち、勝ち誇る資本主義が全世界を獲得し自らに外部はないのだと傲慢にも主張するとき、たとえ不十分なものであれ別の原理で動く世界を実際に切り拓いてみせた彼の名が象徴するのは、外部は在るということ、つまり、いま世界を支配している原理とは別の原理が在り、それによって社会を構築することは可能である、ということへのかぎりない確信にほかならない。こうしてわれわれは、レーニンに訣れを告げたことによって、すなわち純粋資本主義を世界中で全面的に導入することを決めたことによって、かえってレーニンの名はあらためてアクチュアルな存在となった、という逆説に立ち会っている。

とはいえ、レーニンをふたたび神格化し、彼と同じ実践をおこなうよう呼び掛けることが、本書の意図するところであるわけではない。ひとまず、彼の言説がなぜかくも多くの人びとをとらえることができたのかを洞察すること、言いかえれば、彼の言説の核心を精確にとらえることがなされなければならない。その一方で、本書がおこなう読解の作業は、単にアカデミックなものではない。述べてきたように、その目標は、未だに、否いまこそアクチュアルな存在としてのレーニンを、彼のテクストの核心を読むことによって浮き彫りにすることである。それは、言いかえれば、この世界の外部が消え去ったかに思われる瞬間に、外部を切り拓きそこへ向かって躍動して行った彼の思考の軌跡を追跡することである。

2　レーニンという思想の事件

革命が孕む逆説

いま現にある世界とは別の世界が切り拓かれる出来事とは、言うまでもなく、革命のことである。だが、革命とはそもそも何か？

概念的に言えば、革命とは改良や改革とはまったく異なる。改良や改革は、現にあるものに対して働きかけその様態を変容させればよい。これに対して、革命は現にあるものを否定・破壊し、まったく異質なものを新たにはじめなければならない。要するに、革命という観念は概念内在的に断絶のモメントを含んでいる。ゆえにそれは、ある特定の時間の一点において歴史を切断し、自らが新たに措定された起源であることを主張する。E・H・カーが言うように、ロシア革命の特質は、このような時間・歴史の断絶というものを、相当程度意図的につくり出そうとしたところに求められるであろう。(1)

しかし、このような絶対的断絶の必要性の一方で、実際の革命は現実に存在するものからはじめられるほかない。革命という言葉は、「いまここ」の世界がまったく違うものへと変容するということを含意するわけだが、同時に新世界は「いまここ」の世界からしか生まれようがない。つまり革命とは、断絶かつ連続であるほかないのである。

レーニンの全思索は、革命というものが原理的に孕んでいるこの逆説を解くことに捧げられた。レーニンの言説に何らかのオリジナリティーがあるとすれば、この点を措いて他にない。バクーニン、チェルヌィシェフスキー、プレハーノフといった革命思想家は言うまでもなく、若き日のドストエフスキーまでもを含んで、近代ロシアの知識人たちはこぞって革命を叫んだ。しかし、実際に革命に到達したのはレーニンであった。それはなぜだったのかということ、レーニンの言説はいかなる点で革命的であるのかを見極めることが、本書の課題である。

「いまここにあるもの」から、いかにして「いまここにないもの」をつくり出すのか、この問いこそがレーニンのすべての理論を赤い糸のように貫いている切迫した課題である。しばしば語られてきた俗説によれば、レーニンは無慈悲な処置を厭わないあまりに「現実主義」的な「実際的政治家」であるとされる。しかし同時に彼は、まったく正反対に「クレムリンの夢想家」とも呼ばれてきた。これらの正反対の相反する評価が、どうやって両立しうるというのだろうか。それは、ひとことで言えば、前者はレーニンの「いまここにあるもの」への言及のみに一面的に注視し、後者は「いまここにないもの」への言及のみに一面的に注視した結果である。これらのそれぞれに一面的な見解によっては、レーニンの言説が持っていた特別な破壊力が明らかにされることは決してないであろうし、彼の思想についての真に首尾一貫した解釈が提示されることもないだろう。

レーニンはいっさいの空想を排して「いまここにあるもの」に就こうとした。「いまここにないもの」を導き出すために。はっきり言ってしまえば、レーニンの言説の本質はいま述べた単純な命題に究め尽くされている。しかし、現状に飽き足らず世界を変えようと欲する人間が「いまここにあるもの」に就くということは、決して容易なことではない。だから、彼のテクストをその核心において読むということは、この稀有な思想の事件を目撃することにほかならない。

独特な思考の旋律

レーニンについて書かれた類書は世界に山ほどある。かつて、それらのうちの多くは、彼の偉大を讃えて彼を伝説の人とするために書かれた。今日これらの書物は、彼がいかに極悪人であったかを証するために書かれるか、あるいはこういった価値判断をとりあえずは差し控えて「中立的・客観的」に彼の生涯を描き出している。本書がめざすのはこうした記述をおこなうことではない。それはむしろもっとささやかな事柄なのであって、彼の遺した膨大なテクストのなかのいくつかをいささか詳細に検討することでしかない。そして、テクスト分析を通して浮かび上がってくる彼の独特な思考の旋律を読者が聴き取ることができるならば、本書の目的は達せられたと言えるだろう。

独特な思考の旋律とは、言いかえれば、それはレーニンという人物の存在の「比類のなさ」を物語るものでもある。その「比類のなさ」は、ソヴィエトの官製プロパガンダがつくり出そうとした「聖人」という意味での偉大さのことではないし、冷酷な権力者としての凄みということでもない。不幸なことには、東側からは「聖人としてのレーニン」が、西側からは「権力の亡者としてのレーニン」が発明された。さらには、それらのレーニン像が色褪せた後には、「人間レーニン」なるものが考案され、家族に甘えたり心遣いを示したり、また愛人との関係に悩んだりした「普通の人」としてのレーニンについて、さまざまな事柄が語られることもある。だが、筆者がレーニンのテクストに向き合うことによって確信したことは、レーニンはまったく「普通の人」ではなかったということである。それは、彼が「聖人」であったのかそれとも「権力の亡者」であったのかということとは何の関係もないし、彼が時に道に迷ったり苦悩したりしたかどうかということとも何の関係もない。ロシアに社会主義革命の嵐を巻き起こすことに成功した彼の言説のスタイルは、そのような善悪の基準や人間的な基準を超越した「何か」を持ち込もうとしていた。

この「何か」の存在ゆえに、彼がはじめようとした「政治」は、通常その名で呼ばれるものとはまったく異なったものである。ロシア・フォルマリズムの巨匠、ヴィクトル・シクロフスキーは、晩年の自伝的著作において、演説中のレーニンについてつぎのような記憶を書き遺している。

> 彼は何を望んでいるかを知っていたし、何が起こるかを知っていた。あれほど長く待ち望まれていた革命の日が到来した。革命を遂行する人間たちがレーニンの目前に存在している。人々は革命のとりこになっている。これは彼らの仕事である。革命は彼らのために起きる。彼らに、彼ら自身の利益を説明しなければならない。彼らにたいして、彼ら自身のこと、彼らの明日のことを話してきかせる必要があったが、これはレーニンにとって大きな喜びであった。（中略）ここには、話をしている人間とそれを聞いている人々とのあいだには、いかなる秘密も存在しなかった。(2)［傍点引用者］

シクロフスキーの言葉、レーニンと群衆との間には「いかなる秘密も存在しなかった」とはどういうことなのだろうか。政治というものがいつの世にも汚らしくいかがわしいものとされるのは、それがつねに嘘と秘密にまみれているからだ。そして、レーニンも歴史上の他の政治家たちと同じく敵手に対する苛酷な弾圧に手を染めていた以上、シクロフスキーの認識は誤ったものではないのか。しかし、そもそもいい大人が、一部の特別な政治家にはいっさい秘密がないなどと単純に考えているとすれば、それは何ともおめでたい話であるにすぎない。戦争と内戦の時代を生き抜き、スターリン時代をもしたたかに切り抜けおおせたこの文学者が、そのような無邪気な考えの持ち主であるとは筆者には到底思われない。それでは、シクロフスキーはここで何を言おうとしているのか？

「精霊」の正体

いわゆるレーニンの「秘密」問題が語られる時、つぎのような議論がしばしばなされる。すなわち、レーニンの致命的な欠点として、彼が自律的な道徳の尺度を持たず、すべての価値判断を革命の大義に従属させたために、さまざまな「秘密」の事業に手を染めることとなった、というものである。だが、ここで指摘されるべきは、レーニンが「すべての価値判断を革命の大義に従属させた」ことは何ら「秘密」でも何でもなく、レーニンが公言しつづけたことにほかならないということだ。してみれば、レーニンに「秘密が存在しなかった」のは、じつにこの点においてである。彼は、自分が何をめざしているのかを、まったく包み隠すことなく表現した。ここにレーニン特有の「政治」がある。

本書で後に見るように、近代資本制に基づいて成り立っている社会（それは歴史的に「ブルジョア社会」と呼ばれ、いまわれわれが生きている社会でもある）の特徴は、階級闘争の存在が隠蔽されるところに存する。マルクス主義が主張するところによれば、政治的なものの本質は階級闘争に存するが、それが真実ならば、ブルジョア社会とは、この基本的真実を忘れたふりをすることによって、あるいはそのようなものは存在しないと言いつのることによって、言いかえれば、政治的なものの隠蔽によって、社会に内在する敵対性を隠蔽することによって成り立っている。まさにこのことが、通常の政治が抱えている巨大な「秘密」であり、社会に根源的敵対性が内在的に存在することを告白することとは、共同体の存立不可能性を告白することにほかならない。この「秘密」が秘しておかれざるをえないところから、あらゆる政治的欺瞞、さまざまなイデオロギーが発生する。

これに対して、すべての事象を階級闘争の見地に接合するというレーニンの根本的なスタイルは、否定され抑圧された「政治的なもの＝敵対的なもの」を全面的に掘り起こしたうえで、そこから翻って「政治的なもの」を死滅させることを意図していた。ゆえに、言うなれば、彼の試みは共同体の不可能性を最初の基盤として共同体を創設しようとする逆説的なものであった。したがって、彼の仕組んだ政治的プロジェクトの特異性、「比類のなさ」、現存の世界に対する「外部性」も、この点において見出されるであろう。

自分が何をめざしているのかということをまったく隠さないレーニンの「政治」は、通常の意味での政治につきまとう「秘密」を持ってはいなかった。シクロフスキーの観察はまさにこのことを語っている。こうしてレーニンの「政治」からは通常の「秘密」が抜け落ちたわけだが、その代償として別の「秘密」を抱えることとなった。それは右に述べたように、彼のめざすものが、彼の創設しようとする共同体がもっぱら敵対性に基づくものであるということである。

しかし、このような逆説的な存立構造を持った共同体は「不可能なもの」であると言いきれるのであろうか。論理的にはそれは「不可能なもの」であるように見えるが、それにもかかわらず、七〇年以上ものあいだそれは存続した。つまり、それが「不可能なもの」であるとわかったのは、あくまで後知恵によってのことにすぎない。レーニンはこの「不可能なもの」に到達できると確信していたし、理想とははるかに遠かったにせよ、また「西側」がつくったものよりもその内容がさまざまな点で劣るとしても、そこで何かが形作られていたことは事実である。なぜそのようなことが可能であったのかということが解明されないかぎり、われわれの歴史像は不完全なものに留まらざるをえないだろう(3)。そして、このような確信をつくり出したという意味で、レーニンの言葉・理論は比類なきものである。その言葉には特別で比類なき「何か」が、たしかに在った。

レーニンの同時代人たちの目にはその「何か」は、はっきりと映じていたように思われる。有名な革命の回想録を書いたアンドレイ・スハーノフは、一九一七年四月のレーニン帰国の際の演説――ちなみに、この演説はブルジョア革命たる二月革命を即座に社会主義革命へと移行させることを説いて、ボリシェヴィキの同志たちをも深く困惑させたものである

——の印象をつぎのように記している。

私は、その雷鳴のような演説が忘れられない。たまたま紛れ込んだ異端者の私だけでなく、正統派もみな、それに震え上がり、仰天した。そのようなものを予期したものはだれひとりいないと、私は主張する。あらゆる自然力が自分たちの巣から起き上がり、万物を破壊する精霊が障害も、疑念も、人々の苦労も、人々の思惑も知らずに、クシェシーンスカヤ宮殿の広間で、魔法にかけられた弟子たちの頭上を飛びかっているように思われた[4]。

この「精霊」の出現こそが事件であった。本書がめざすのは「精霊」の正体を見定めることである。

3　革命のテクスト——『国家と革命』

二人のレーニン？

さて、本書が分析・精読を試みるレーニンのテクストは、具体的には主に、『何をなすべきか？』（一九〇二年）と『国家と革命』（一九一八年）である。もちろんこの選択は単なる偶然ではないが、筆者の一種の主観的好みも作用している。この二つのテクストにおいて、レーニンの思考の躍動がとりわけ明瞭に見て取ることができるように、筆者には感じられるのである。

だが、こうした主観的理由に加えて、客観的理由もある。すなわち、この二著が現在レーニンを語る際に、もっとも否定的に言及される著作ともっとも好意的に言及される著作であるという傾向の存在がそれである。この傾向が表しているのは、『国家と革命』は現代のイデオロギー的布置が比較的受け容れることのできやすいテクストであるのに対して、『何をなすべきか？』はまったく度し難いテクストであるということだ。

やや詳しく言えば、おおむねつぎのような解釈が近年の左翼のあいだでは流通してきた。すなわち、『国家と革命』のレーニンは、無政府共産制の理想を堂々と語り、その行論においては直接民主制の機関としてのソヴィエト制度が重視され前衛党は後景に退いている。つまり、ここに見出されるのは理想主義的革命家としてのレーニンであり、後に個人崇拝や官僚主義等々の泥沼に陥ることになる党の領袖ではなく、根源的な民主主義の実現可能性を信ずる良心的な理想主義者レーニンである。

これに対して、『何をなすべきか？』のレーニンは、まったくの極悪人であるということになっている。すなわち、ここに見出されるのは、「階級意識の外部注入論」によって知識人の労働者に対する思想的優位というエリート主義的テーゼを傲慢にも打ち出し、また職業革命家によって構成される前衛党の樹立を主張して後の一党独裁制の基礎を築いたレーニン、民衆を操作対象と見なしその力能を信じないシニカルな反民主主義者レーニンである。

この二つのレーニン像が、先に述べた「クレムリンの夢想家」と「実際的政治家」という代表的な二つの像のヴァリアントであるのは見やすい道理である。そして、ここでも問題なのは、二つのまったく相反する像が同権的に並び立つはずはない、ということだ。したがってわれわれの課題は、当然、まったく対照的な主張をなしているかに見える二つの著作を等しく貫く同じ思想の躍動をとらえることでなければならない。

『国家と革命』が書かれた時

時系列は前後するが、まずはじめに『国家と革命――マルクス主義の国家学説と革命におけるプロレタリアートの諸任務』が本書ではどのような視角から読まれるかということを、さしあたり簡単に述べておこう。

このテクストが選ばれなければならない必然性は、それがレーニンの全理論の要石となっている「革命」を、もっとも主題的に取り扱っているから、ということだけには帰せられない。筆者が注目するのは、このテクストが書かれた時期である。この書物は一九一七年の八月から九月の間、すなわち十月革命のまさに前夜にあたる時期に書かれた（刊行は翌年）。当然のことながら、この時期は、レーニン個人の運命にとっても、またロシアの運命にとっても、決定的なものであった。一九一七年の二月に二月革命が生じて帝政が瓦解し、四月にレーニンは亡命先から帰国する。そして、その後のレーニンは逮捕を避けるため地下生活を余儀なくされる。その地下生活の間中、彼はボリシェヴィキの同志たちに社会主義革命のための武装蜂起を決行せよとの勧告を幾度もおこなうが、蜂起の前夜に至るまで強力な反対を同志たちから絶えず受けつづけた。彼らはレーニンの主張を常軌を逸した時期尚早なものだと見なしたのである。

この時期のレーニンの方針はじつに一貫している。亡命先のスイスにて二月革命の第一報を聞いて以来、それに対する第一の反応『一九一七年三月四日（一七日）テーゼの下書き』をはじめとして、『遠方からの手紙』『四月テーゼ』から『ボリシェヴィキは権力を維持できるか？』に至るまで、この時期に書かれた主要な文書のすべてにおいて、レーニンは臨時政府との非妥協と、労働者政府の即座の樹立を主張し、またその実行を呼びかけている。この主張は、『国家と革命』におけるプロレタリア独裁の理論、そしてプロレタリア革命が何らかの暴力的プロセスと一種の原始的・直接的民主制（ソヴィエト制度）の確立を経るであろうという展望と、理論的ライトモチーフを共有している。

仮にレーニンが十月革命の蜂起をおこなうことができなかったならば、彼は世界史にその名をとどめることにはならなかったであろう。そのときには、彼はロシアのマイナーな極左政党の指導者・理論家としてのみ、おそらくは少数の人びとの記憶にとどまるにすぎなかったであろう。つまり、レーニンをわれわれの知っている「レーニン」たらしめたのは、実にこの時期のレーニンを措いて他にない。したがって、この時期のレーニンをとらえるとは、まさに「レーニン」になりつつあるレーニンをとらえることにほかならない。そして、今述べてきたように、この時期に書かれた『国家と革命』をそのもっとも体系的な結実として産んだ彼のこの時の理論が、ボリシェヴィキによる蜂起を理論的に裏づけ、彼の理論を現実に移す決定的な一歩を踏み出させ、歴史にレーニンの名を刻ませたのである、と言ってよい。

だからこそ、この時期のレーニンのテクストは、彼のテクストの際立った特徴、すなわちそれが実際に革命をもたらすものであるという性格を、他の彼によるテクストにもいや増して示すのである。自らレーニンのアンソロジーを編むなど近年〈レーニン・ルネサンス〉を企んでいるかに見えるスラヴォイ・ジジェクは、つぎのように言っている。「もしいまだかつてペンが剣であったことがあるとするならば、それはレーニンの一九一七年のテクストを書いたペンである」[5]、と。革命の理論が単なる理論であることを止める瞬間、この瞬間を『国家と革命』は示すことになるだろう。

ユートピアの書？

レーニンは、『国家と革命』において、その生涯を通じてもっとも積極的に、社会主義革命の最終的な到達段階に関して語った。さらに言えば、マルクス主義の古典と呼ばれる文献全般を見渡しても、共産主義社会の具体像についてこれほど多くの記述がなされている書物は他に存在しない。それゆえに、この著作の内容は、レーニンが政治家として人びとに与えた漠然たるユートピアの約束とみなされることとなった。そして、その後のソヴィエト社会の現実は、周知のように、決してバラ色のものにはならなかった。『国家と革命』に謳われた「国家の死滅」ではなく、「国家の肥大」が実現した。階級なき社会ではなく、ノメンクラトゥーラ（＝ソ連のエリート官僚）という特殊な階級が全社会を抑圧的に支配する体制が形成された。つまり、レーニンが『国家と革命』に描いたほとんどアナーキックな構想は、実行に移されることはなかった。

この理想と現実の乖離ゆえに、『国家と革命』は空想的という意味でユートピア的な書物であるとしばしばみなされ、実際的政治家としてのレーニンの思想をまったく表現していないと多くの人びとから考えられてきた。「この著作ほど著者の政治哲学を表現していないものはない」[6]とアダム・ウラムは言い、またロバート・ダニエルズは、『国家と革命』を「一九一七年の革命の年における著者の知的逸脱の記念碑」[7]と呼んでいる。

ウラムの見解に従うならば、政治家としてのレーニンが『国家と革命』のごときユートピア的書物を書いたのは、準備されつつあるボリシェヴィキによる権力の奪取を、大衆の耳に心地よい言辞によって正当化するためであったということになろう。つまり、レーニンはここで一種の二枚舌を用いており、一方では理想社会の建設のプロジェクトを人びとに提示しているが、それはあくまでポーズ、すなわち人気取りのための嘘八百のデマゴギーにすぎず、その一方で計算高く権力の掌握のための実際的行動を冷徹に仕組んでいたということになる。あるいは、ダニエルズの見解に従うならば、『国家と革命』におけるユートピア思想の爆発的表出は、レーニンの一時的な「気の迷い」の産物と考えて差し支えない。いずれにせよ、これらの見解が一致して主張していることは、『国家と革命』のユートピア主義的性格であって、それらの見解の間に本質的な内在的対立点はない。ウラムはユートピア主義的性格を政治家レーニンの戦略によって説明し、ダニエルズはそれをレーニンに本質的に内在する空想家的気質に帰している、という違いが存在するのみである。

こうしてレーニン『国家と革命』のユートピア主義的性格というものは、このテクストを理解する際のほとんど前提条件のようなものになってしまった。反共的なウラムやダニエルズのみならず、レーニンにおいて「人類史上はじめて歴史哲学の鍵が現実の歴史の錠にぴったり合う瞬間[8]」を見出したエドマンド・ウィルソンですら、「『国家と革命』には、彼の先達のユートピア主義が限定されたかたちで現われているだけである[9]」と述べているほど、この前提は強力なものだ。

革命のテクスト

われわれがきっぱりと投げ捨てなければならないのは、このような浅薄な前提＝先入観である。注目すべきは、『国家と革命』が実際の革命と並行して書かれたテクストであるという事実だ。つまり、『国家と革命』を戦略的書物（マキャヴェリズムの副産物）であるとか、空想家気質の産物であるなどと決めつける前に、この書物が書かれたのは主に一九一七年八月から九月の間である（ただし草稿は一九一六年末から一九一七年一月にかけて亡命先のチューリッヒにて書かれている）という単純かつ決定的な事実が驚くべきものであることに気づかなくてはならない。

この時期とは、言うまでもなく、ロシア革命の帰趨《きすう》にとって決定的な時期であり、権力が誰の手に転がり込むことになるのかまったく不透明な時期であった。このような時期に権力を欲する政治家が為すべきこと、あるいは為すに違いないとわれわれが思い込んでいることは、理論書を書くことではなく、より実際的な事柄であるはずだ。しかし、レーニンは他ならぬこの時期に、『国家と革命』を完成させる作業に少なからぬ時間と精力を費やしたのであった。英国のレーニン研究者、ニール・ハーディングはつぎのように言っている。

レーニンは、ロシアにおける彼の政党への即座の戦術的利益を得るための政治的術数に時間を捧げるかわりに、世界規模での社会主義革命の長期的な戦略的目標を形作るという視野のもとに、彼はほとんどアカデミックで網羅的なマルクス＝エンゲルス研究に精力を傾注した。(10)

『国家と革命』は異様な書物である。それは「戦術の書」と呼ぶには明らかに理論的でありすぎる。つまり、それは「アカデミック」であり、あまりに回りくどい。革命が現に進行しつつある最中に、「真のマルクス主義的国家学説とは何か」、「カウツキーがそれをいかに歪曲しているか」などという問題について熱を上げて議論することは、いかに特殊な歴史・社会の状況にあったとしても、現実政治に対して場違いなものと感ぜられる。しかも、『国家と革命』の刊行は一九一八年のことである。つまり『国家と革命』に表されたイデオロギーは十月革命の実行に対しては直接的には寄与しておらず、したがってプロパガンダとして十分に機能していない。その一方で、この書を理論的空想とみなすこと、すなわち政治家レーニンが理論のなかでだけ自らに許した気ままな空想の表出であると考えることも、また不可能である。なぜなら、この決定的な時期に純然たる空想に耽るほどのお人好しは実際的な政治家ではありえないからである。

してみれば、『国家と革命』は戦術・プロパガンダの書でもなければ、単なる理論書でもない。そしてまた、いわゆるユートピア主義の書では断じてない。否むしろ、この書物はユートピア主義の無力さを批判するために書かれている。

『国家と革命』を書いているレーニンの眼前には二つのユートピア主義があった。ひとつには、帝国主義戦争の全面的噴出という現実、すなわち総力戦による社会の全面的破壊という現実にもかかわらず、未だに国家の死滅を思考することのない（逆に言えば、国家は永続すると考えている）日和見主義的思考である。レーニンからすれば、崩壊した第二インターナショナルのイデオローグたち、そして当時のロシアのほとんどの社会主義者たちは、国家と資本主義の必然的な相互依存関係、そしてそこから生ずる国家の帝国主義国家化と、そこからこれまた必然的に生ずる帝国主義国家同士の全面的衝突、という事態の本質を理解していない。この事態がすでにこの上なく顕わなものとなっているにもかかわらず、いまだに国家および資本主義が存続可能であると考えるのはまさに空想的である。

したがって、レーニンは日和見主義に抗して「国家の廃絶・死滅」というスローガンを掲げざるをえない。ところで、このスローガンは従来無政府主義の専売特許でありつづけてきたものである。しかしレーニンの目には、無政府主義の思想はつねに空想的であり無力なものと映ってきた。ゆえに、スローガンは同じであるとしても、無政府主義の無力さの根源が批判されなければならない。

以上のような意味で、『国家と革命』はユートピア主義批判のテクストである。そうであるがゆえに、このテクストには何か途轍もなくリアルなものが現れている。この不可思議な書物は、言うなれば《革命のテクスト》――ひとまずはこのような抽象的な言葉を与えておかざるをえない――とでも呼ぶほかないものである。そして《革命のテクスト》とは、はたしていかなるテクストなのであろうか。われわれが『国家と革命』を読むことによって見出さねばならないのは、この問いに対する答えである。

4　「狂ったマキャヴェリアン」のマニフェスト――『何をなすべきか？』

実際的政治家

本書が主題的に取り上げるもうひとつのテクストは『何をなすべきか？』である。すでに述べたように、今日この書物の評判はきわめて悪いが、それは、この書物の内容がレーニンの「実際的政治家」の側面を代表するものとして受け取られてきたからである。わけても悪名高いのは、労働者階級の社会主義的な階級意識というものはブルジョア知識人によって注入されなければ形成されることができないと主張する、所謂「階級意識の外部注入論」である。この考えを最初にはっきりと強調したのはドイツ社会民主党の指導者、カール・カウツキーであったが、レーニンはこの思想に満腔の賛意を示し、またそれに則った実践をおこなったと言われてきた。

こうした解釈によれば、レーニンが「外部注入論」に賛同したのは、彼が大衆の力量に関して懐疑的な見方を持つ、いわば「性悪説」の持ち主であったからである。したがって、『何をなすべきか?』に表されたレーニンの思想の内実はつぎのごときものであると解釈される。すなわち、大衆というものは所詮は不活発で受動的な存在であるのだから、知識人から成る革命的前衛党の指導によってはじめて革命の動力たり得る、とレーニンは考えていたのだ、と。そして、レーニンのこのような考えは、きわめて露骨なエリート主義に満ち満ちており、彼の鼻持ちならない傲慢さを表していると同時に、被抑圧者大衆を偶像視することなく徹底的に操作対象とみなしている点において、彼の「実際的政治家」の側面を鮮明に示している、と解釈されてきた。

だが、まず第一に、レーニンはひたすら権力を追求する「実際的政治家」であったという通説は無条件に肯定できる代物なのだろうか? たしかに、レーニンは革命による国家権力の掌握を一貫してめざして活動してきたし、それが実際に果たされた後にはその保持のためには手段を選ばなかった。赤色テロル、裁判抜きの即決死刑、クロンシュタット水兵の叛乱弾圧等々の事実がこのことを証している。さらには、革命のためにあらゆる手段を用いることを批難する人間に対しては、激烈な反論を浴びせた。

革命による権力の掌握

しかし、これらの事実にもかかわらず、権力の掌握という目標はレーニンにおいてあくまで副次的なものとみなされなければならない。作家のアンドレイ・シニャフスキーはつぎのように言っている。

> レーニンは権力を愛したと言われている。それはまったくありうべきことだ。しかし、彼の権力への愛（仮にそれがあったとして）は、権力への陶酔をまったく欠いており、また虚栄心、傲慢、傲岸を欠いたものであった。レーニンは権力を渇望したが、あたかもそれは社会的歴史的実験を正しくとりおこなうためには科学的に不可欠なものであるかのようであった。まるですべてはその実験のためにこの頭脳が必要であるかのように、だがレーニンには他に好適な頭脳が見当たらなかったがために、彼は――彼自身のためではなく科学的に正確な解決のために――指揮権を握ったのであった。[11]

「社会的歴史的実験」の正確なプログラムは言うまでもなく革命によって形成されなければならないが、その実際の遂行には当然権力が必要になる。してみれば、レーニンにとって権力の掌握とは、革命と絶対不可分なものとしてとらえられなければならないものであった。精確を期して言えば、彼は権力の掌握そのものには興味がない。彼がすべての努力を傾注したのは、革命による権力の掌握である。

仮に彼が単に権力の掌握そのものをめざしていたとするならば、彼の行動にはあまりにも不合理なものが多すぎる。例を挙げれば、彼はロシア社会民主労働党を分裂（ボリシェヴィキとメンシェヴィキへの分裂）させる（一九〇三年）ことによって党を規模の点で弱体化させ、さらにはそのボリシェヴィキ党の内部においてすら「頑固派」と呼ばれて幾度も孤立を深めた。そして、第一次世界大戦勃発時の第二インターナショナルでは祖国敗北主義を唱えて既存の「正統派」マルクス主義と絶縁し（一九一四年）、また一九一七年の帰国に際しては、ほとんど誰もが空想的であるとみなした『四月テーゼ』を発表することによって、ボリシェヴィキの同志のレフ・カーメネフ、さらにはレーニン夫人のナジェージダ・クループスカヤからさえも「レーニンは発狂した」と思われるに至った[12]。あの『国家と革命』は、この「発狂した」レーニンによって書かれたものにほかならない。

このように、レーニンは諸局面において、つねに「科学的に正しい」途を選択した。ゆえに、マキャヴェリズムという言葉を通俗的な意味で解するならば、すなわちそれを権力掌握を自己目的とする政治屋的な権謀術数主義・計算高さと定義するならば、レーニンはいわば完全に「狂ったマキャヴェリアン」にほかならなかった。そして、言うまでもなく、興味の尽きない謎は、彼が「狂ったマキャヴェリアン」であったにもかかわらず、実践的に大事を為しえたという事実にある。

『何をなすべきか？』の核心

それでは、『何をなすべきか？』というテクストが単にレーニンのマキャヴェリズムの赤裸々な表現ではないのならば、それははたして何を表したものなのだろうか？　筆者の考えでは、このテクストはレーニンの世界観・革命観のもっとも明瞭なマニフェストであり、それゆえにこそ精読されねばならない。

先に述べたような解釈に則って、左翼のあいだでも『何をなすべきか？』は棄却されるべきテクストとみなされるのが常識となった。レーニンの諸著作のなかでも、このテクストほどその中身を「知り尽くされた」とされるテクストはない。しかし、筆者の考えでは、このテクストは「知り尽くされた」どころか、その核心が真に読み取られたことなど、いくつかの例外をのぞいて、今日に至るまでほとんどなかった。『何をなすべきか？』は、厭うべきシニシズムの現れでもなければ、「民主集中制」を根拠づけるのに役立つ党官僚の便利な小道具にすぎないものでもない。これから見るように、このテクストは棄却されるべき遺物であるどころか、今日読み取られなければならない真にラディカルな核心――あまりにラディカルでありレーニン本人さえもが実践において追いつくことのできなかったほどラディカルな思想――を含み持っている。言うまでもなく、われわれがこれから探求するのは、この核心にほかならない。

このテクストの主題のひとつは、社会主義運動内部における改良主義的傾向を批判することにあった。興味深いのは、その際にレーニンが展開する論理から垣間見える彼の世界観・

革命観だ。本書第二部でフロイトの所論をも参照しつつ詳しく論じるが、このテクストでレーニンが説いているのは、革命による新しい世界の創造を果たすためには、いまここにある世界で流通している論理と思想的に完全に手を切らなければならない、ということである。つまり、革命を為すためには現にある世界の「外部」へと超出しなければならず、だからこそ階級意識は「外部」からもたらされなければならない。このような論理において、レーニンにあっては、この「世界の外部」という未だ顕在化していないものが、現にある世界よりもより一層リアルなものとして把捉されており、かつこの「外部」は独特の手続きによって「内部」へと引き入れられなければならないとされている。

この思考によって、レーニンは二〇世紀を代表する思想家のひとりに挙げられねばならないであろう。そして、レーニンが感じ取っていた「外部」は、彼の単なる信仰や妄想ではなかった。それはやがて、『国家と革命』において明瞭な姿で現れることになる。

本書の構成

以上の見取り図に従い、本書はつぎのように構成される。第二部で『何をなすべきか?』を検討することによってレーニンの「外部の思想」の理路を明らかにし、第三部ではその帰結を『国家と革命』を読み解くことによって目撃する。

だがその前に、こうした「外部」をもたらす本源的なものとしての〈力〉――この概念は『国家と革命』において鍵となるものである――をレーニンがそもそもいかにしてとらえていたのか、その独特な把握を、次章では検討することとしよう。

第二章　一元論的〈力〉の存在論

1　一元論的〈力〉

レーニンの思考様式

革命とは、現状の秩序を打ち砕く〈力〉が発現する出来事であるとするならば、レーニンがその〈力〉をどのようにとらえていたのかを示唆している一節は、例えば、『国家と革命』のなかで、マルクス主義と無政府主義との主張の相違点を示した、つぎのようなものだ。

マルクス主義者と無政府主義者との相違は次の点にある。（一）前者は、国家の完全な廃絶を目標として、社会主義革命によって階級が廃絶された後に、国家の死滅に導く社会主義建設の結果として、はじめてこの目標が実現可能となるものと認める。後者は、この廃絶を実現できる条件を理解していないので、今日明日にも、国家を完全に廃絶することを欲する。（二）前者は、プロレタリアートが、政権を闘い取った後、旧国家機構を完全に破壊し、それをコミューンの型に基づいた、武装した労働者の組織からなる新しい国家機構と取りかえることが必要だと認める。後者は、国家機構の破壊を主張しながらも、プロレタリアートがそれを何と取りかえるか、また彼らが革命権力をどのように利用するかということについては、まったく不明瞭な考えしか持たない。無政府主義者は、革命的プロレタリアートが国家権力を利用することや、その革命的独裁を、否定しさえする。(三) 前者は、プロレタリアートが今日の国家を利用して革命を準備することを要求するが、無政府主義者はそれを拒否する。[13]［傍点原文］

『国家と革命』の上記引用以外の多くの部分では、レーニンは無政府主義に対して、かなりのシンパシーを示している。なぜなら、「国家の死滅」という最終目標に関して、意見の一致をみているからだ。しかし、レーニンの思考方法の特異性を考えるためには、最終目標に関する問題はここでは二次的である。むしろここで考えたいのは、最終目標において一致するにもかかわらず、レーニンが頑として譲ろうとしない一線についてなのであり、それは最終目標にいかにして至るのかという、いわば「中間段階」に関わるわけだが、重要なのはそのような革命の段階論の戦術的な問題なのではなく、ここに現れているレーニンの思考方法の有り様なのだ。

対照的な〈力〉のとらえ方

レーニンの見るところでは、無政府主義者の空想性は、彼らが国家の死滅のための過渡期的・中間的段階を認めないところにある。

すなわち、(一)で言われているように、無政府主義者はブルジョア国家をいわば一撃で破壊でき、それで事は終ると考えている。しかし、『国家と革命』のなかで再三強調されているのは、国家は階級対立の非和解性の産物として存在してきたという考え（エンゲルス『家族・私有財産・国家の起源』に拠る）であり、したがって階級の廃絶が完成しないかぎり、国家の完全な廃絶は不可能である。ゆえに、国家の完全な廃絶のためには、階級を廃し、さらには階級社会を生み出す資本主義を廃絶するための中長期的な過渡期的プロセスが不可欠である。

つぎに(二)では、ブルジョア国家機構の破壊の後に、プロレタリアートによる「半国家」(＝コミューン型の国家)が必要であることが述べられているわけだが、ここでのレーニンの無政府主義批判のポイントは、じつに興味深い。

というのは、無政府主義があらゆる機構を否定しているということ――それは無政府主義の中心思想であるが、最終的な国家の死滅に賛成した以上、いまやレーニンはこの思想と根本的に対立する立場にはない――に加え、ここでレーニンが指摘しているのは、プロレタリアートが手に入れた「革命権力」についての考察が無政府主義者には存在しないということである。レーニンがこの指摘によって拘っていることは、ある意味では論理的な問題にすぎない。というのはすなわち、まずブルジョア国家を粉砕する革命をおこなうためには、プロレタリアートの〈力〉が必要である。だから、無政府主義者はこのようにしてこの〈力〉の存在を前提しているのにもかかわらず、ブルジョア国家が破壊された後、この〈力〉は一体どうなるのかということを彼らは少しも考えていないではないか、とレーニンはここで指摘している。言いかえれば、彼らは一度措定したものを、後ではまるで存在しないかのように取り扱っている。

これは一見、論理整合性に拘泥しているだけで、ありふれた無政府主義批判のように思われる。しかし、この一見したところ純粋に論理的な批判は、革命の〈力〉の存在論的な現実性がどのようにとらえられているのかというより大きな問題に深く関わっている。

もう一度革命における〈力〉の論理を追ってみよう。ブルジョア国家を破壊するためには、必ずプロレタリアートの〈力〉が結集されねばならない。その〈力〉は、「革命権力」となることによって、より強力なものとなる。このようにして、ひと度結集することによって堅固になった〈力〉は、ブルジョア国家を破壊した後にどうなるのだろうか。この〈力〉がブルジョア国家を粉砕してしまうほどに強力なものならば、それが「革命権力」を形成した後に、まるで蒸発するように消えてしまう、言いかえれば、それほど脆弱なものだと考えるのは、明らかに論理的に誤っている。

レーニンがここで簡潔に指摘しているのは、無政府主義におけるこのようなあくまで論理的な誤謬である。だが、ここで示唆されているのは、レーニンと無政府主義者が〈力〉をまったく対照的なやり方でとらえているということだ。すなわち、後者はブルジョア国家を打ち砕く〈力〉の存在をひと度措定しながらも、その〈力〉がその後どのように展開するかを問うことをせずに、その〈力〉が自然的に解消することを想定する。しかし、論理的に考えれば、ブルジョア国家を打ち砕くほどに強大な〈力〉が、自然的に解消すると考えるのには無理がある。したがって、〈力〉が解消されることを、論理的整合性を保ちつつ想定するためには、もうひとつの同程度に強力な〈力〉を想定せねばならない。ひと度結集された〈力〉を打ち砕く、あるいは解消するもうひとつの〈力〉を想定しなければならない。その「もうひとつの力」は、自然的なプロセスそれ自体に、あるいは無政府状態と摩訶不思議にも両立するとされる権威の〈力〉において措定されざるをえないであろう。いずれにせよ、これらの想定においては、「二つの力」が同等な権利を持って措定されている。すなわち、既存のブルジョア国家、あるいは国家一般を破壊する〈力〉と、この力を解消するための「別の力」である。

〈力〉の二元論批判

レーニンが否定したのは、このような二元論である。レーニンが「ブルジョア国家の破壊」「国家の廃絶」というテーゼによって無政府主義者との共通点を示しつつ、ブルジョア国家を粉砕した「革命権力」が、その後何を為さねばならないかという問題に執拗に拘泥した、つまり無政府主義者が問わないことを問うたということは、彼がこのような「同等な別々の二つの力」の存在を認めず、ただひとつの〈力〉のみを認めていたということを示している。世界内に「二つの力」の存在を認めることは、結局どちらも本当に認めることにはならない、というのがここでのレーニンの主張にほかならない。無政府主義者は二元論的に抽象的に、〈力〉の存在を措定するので、結局はつねに無力なユートピア主義に留まる。二つに分割された力は、分割によって存在論的な現実性を低められる。言いかえれば、空想のなかにしかその存在の根を持たぬ力として想定される。これこそが、レーニンがユートピア主義として否定しなければならなかったものにほかならない。

つけ加えれば、(三) の論点にも二元論批判が展開されている。無政府主義がしばしば標榜する典型的な非政治主義のイデオロギーによれば、無政府をめざすものはいっさいの既存の政治制度に関わってはならない、なぜなら関わることによってその政治制度を承認することになるからだ、ということになる。してみれば、このイデオロギーに従うならば、闘争は既存の政治制度とそれを認めない勢力との間で闘われることになる。両者は完全に別のものである「二つの力」として存在することになる。後者が前者の内部で闘う可能性は排除されているがゆえに、後者が前者に勝利するためには、「後者の力」が「前者の力」を圧倒するほかない。つまり、「非政治的な力」が「政治的な力」に勝利するほかない。

これに対して、レーニンが主張する一元論においては、「非政治的な力」などというものは措定されない。プロレタリアートの「本来的な力」は、つねに政治的なものとして、あらゆる場所（＝既存の国家内の制度・非合法的活動）に入り込む遍在的な〈力〉となることによって、真に強力に革命を遂行できるであろう、というのがレーニンの主張である。したがって、レーニンの措定する〈力〉は、徹頭徹尾一元論的に扱われねばならないだろう。

2 世界外在＝世界内在

「単一の力」の現実性

『国家と革命』においてレーニンが描く「プロレタリア独裁＝コミューン」という「半国家」的制度が唯一の現実的に可能な制度であると名乗る資格を得るためには、この制度が真に現実的な〈力〉に立脚していることが必要条件になる。というのは、無政府主義のユートピアに対する批判に即してみてきたように、レーニンの無政府主義への批判は、以下のようなものであるからだ。すなわち、無政府主義のイデオロギーは「国家・階級なき社会の実現」という正しい目標を掲げているにもかかわらず、それはつねに暗黙裡にせよ意識的にせよ、「二つの力」の存在を前提することによって、ついに十全なる強度を持つ〈力〉の存在を措定できないがゆえに、抽象的イデオロギーにとどまりつづけている、ということであった。これに対抗して、レーニンは「単一の力」を一元論的に措定し、この〈力〉による真に実行可能な革命について語ることになるだろう。この〈力〉がいかにして展開するのかということは、『国家と革命』のテクストに厳密に即して詳細に跡づけられなければならない。その具体的な読解作業は本書第三部に譲るが、ここで究明したいのは、レーニンが措定する「単一の力」がなぜ唯一の現実的なものとして把握されうるのか、という問題だ。というのは、ここに現れる思考の様式が、レーニンをまさにレーニンたらしめるものであるように思われるからである。

「階級意識の外部注入」論

革命が成功裡に遂行されるためには、革命によって自らを打ち建てる権力が、現実に存在する勢力に基盤を置かなければならないことは自明である。そして、ボリシェヴィズムにかぎらず、マルクス主義一般がその権力の基盤の中心をプロレタリア階級に置こうとしたことも、また周知の事実である。プロレタリア階級による支配の時代がブルジョア階級によるそれにかわって必然的に訪れるということは、それ自体だけでは漠然とした予言であったにせよ、またそれが革命を通じて実現されるということにエドゥアルド・ベルンシュタインをはじめとする修正主義者たちからは疑問符がつけられたにせよ、歴史の客観的な法則の必然的帰結として二〇世紀初頭のマルクス主義者の間では確信されていた。

だがここで問題は、この「歴史における客観的なもの」がいかにして実際に現象するのか、ということであった。言いかえれば、問題はこの必然性がいかにして現実的なものへと転化するかということである。あるいは別の角度から見るならば、あくまで潜在的なものにすぎないものが現実的な存在に転化する方途がいかにして見出されうるのか、ということだ。

この問題に対するひとつの解答として提出されたイデオロギーは、以下のようなものであった。すなわち、プロレタリア階級がいずれ必然的に収める最終的な勝利は科学的法則によって確認された以上、なされるべきことはプロレタリア階級が科学的に立証された自らの歴史的運命を正しく把握することである。これによって必然性は現実性に転化する。しかし、資本主義的生産様式の内部における日々の労働に追いやられ、革命の大義よりも目先の生活改善に直結する事象に注目せざるをえないプロレタリアートは、自らの歴史的運命を自然に学び取ることができない。ゆえに、プロレタリア階級の真正な階級意識は、プロレタリア階級それ自身から自然に生まれるのではなく、この階級の客観的状況と歴運を彼ら自身よりもよりよく理解したブルジョア・インテリゲンツィアによってプロレタリアートに注入されなければならない。

革命家と学者

これが、先にも言及したカール・カウツキーによる「階級意識の外部注入」論の論理であり、レーニンはこの議論に賛同して『何をなすべきか?』において以下のようなカウツキーからの引用をおこなった。

今日の社会主義的意識は、深遠な科学的意識を基礎としてはじめて生まれうる。実際、今日の経済科学は、例えば今日の技術などと同じように、社会主義的生産の一前提条件を成すものであるが、しかしプロレタリアートは、どんなにそれを望んだところで、そのどちらも自分でつくり出すことはできない。それらは両方とも、今日の社会過

> 程のうちから生まれてくる。ところで、科学の担い手は、プロレタリアートではなく、ブルジョア・インテリゲンツィア（傍点＝カウツキー）である。現代の社会主義も、やはりこの層の個々の成員の頭脳に生まれ、彼らによってまずはじめに知能の発達のすぐれたプロレタリアたちに伝えられ、ついでこれらのプロレタリアが、事情の許すところで、プロレタリアートの階級闘争のなかにそれを持ち込む。だから、社会主義的意識は、プロレタリアートの階級意識のなかへ、外部から持ち込まれた或るものであって、この階級闘争のなかから自然発生的に生まれてきたものではない[14]。

ここでカウツキーが主張していることは、プロレタリアートには科学的真正さに基づけられた階級意識が必要であるということであり、科学的知識の直接的な担い手がブルジョア・インテリゲンツィアである以上、プロレタリアートは彼らから科学的に正しい階級意識を教えられなければならないということである。この部分を肯定的に引用したレーニンは、このイデオロギーに深く共鳴しているように思われる。だが、それにもかかわらず、後にこの二人の間に深刻な対立が持ち上がるのはなぜであろうか。彼らの思考は、この時に限っては一致していたのだろうか。

この引用部分について、ポーランドの思想史家、アンジェイ・ヴァリツキはつぎのように言っている。

ここには際立った明白な差異が存在する。その差異とは、第一に政治権力の掌握をめざす職業的革命家と、必然性の完全に客観的な理解を得ようとする学者との間の差異であり、言いかえれば、労働者の間で組合主義的メンタリティーが蔓延していることに脅威を感じている革命的前衛と、党の活動を客観的諸状況の科学的理解と調和させることによって、革命的主意主義の危険を避けることを主な目的とする社会主義者エリートとの間の差異である。[15]

レーニンはカウツキーをそっくり引用したのであるから、二人の言っていることはまったく同一である。しかし、それにもかかわらず彼らは事実上完全に異なることを言っていた。無論、このような言い方は矛盾している。たしかに、二人の言っていることは、内容的には同一であると言うほかない。それでは、一体何が異なるというのか。ヴァリツキが導き出した答えは、「誰がそれを語っているのか」が異なるということだ。すなわちそれは、歴史において何が必然的に生起するのかということを科学的知識によって知ろうとする学者と、何を必然的に生起させるのかということを科学的知識によって知ろうとする革命家との間の差異である。

「客観性のなかにおいて在る」こと

してみれば、ここでレーニンがおこなったことは、やや大げさに言えば、「歴史の必然性」を奉ずる第二インターナショナル的なマルクス主義の教義に対するほとんど「コペルニクス的転回」（後の第二インターの崩壊と、レーニン独自のマルクス主義という意味での「レーニン主義」の誕生に際して、レーニン自身はそれを「マルクス主義の復興」と呼ぶだろう）と呼ぶに相応しい事柄だ。なぜなら、これから論じるように、レーニンはマルクス主義の科学性の位相をドラスティックに変え、またそれにしたがって革命の存在論的位相をも変えてしまったからだ。

というのは、カウツキーにあっては、マルクス主義の教義は歴史的必然性を知るためのツールとして措定されており、科学的知と歴史の現実はあくまで別のものとして把握されている。このような二元論的世界観においては、科学および科学の担い手たる社会主義者は、世界に対してその外側から迫ろうとする。したがって、革命の歴史的必然性は科学によって演繹されているわけだが、科学と科学的社会主義者は、革命を科学的知の客体としてとらえている。そして、このような構図は、革命および階級闘争における非科学的な「主意主義」、言いかえれば、行き過ぎた「自然発生性」にのめり込まない「客観主義」を構成するために、本質的に必要とされたものである。

レーニンも同じく、自然発生性にのめり込むことを批判する。ゆえに、ここでは彼はカウツキーに賛同する。実際、先に略述したカウツキーの主張の要点には、少なくとも論理的には、革命に必要なすべてが揃っているかのように一見思われる。一時的な自然発生性の奔流に流されない歴史の必然性に関する科学的知識、それが伝達されることによって形成されるプロレタリア階級の正しい階級意識、かくして正しい階級意識に基づけられる有効な階級闘争、しかしレーニンにとってはこれだけで十分ではなかった。というのは、これらの客観的なものがどれほど科学的明証性を得ているとしても、客体的に把握された客観性のみでは革命を遂行することは絶対に不可能である。なぜなら、ある歴史的瞬間において革命を決行する客観的妥当性を客観的に計る方法など存在しないからだ。

マルクス主義が知識人を魅了する一種の神学として機能した理由のひとつが、それが標榜した「科学的客観性」であったことは疑いえない。しかし、このことは不可避的に一種のジレンマを生じさせることになった。すなわち、革命を論証する学説が客観的なものであればあるほど、革命的実践・行為もまた客観的可能性・確証に裏づけられていなければならなくなったわけだが、結局のところこれは不可能な要請である。なぜなら、革命の客観的可能性さらには必然性というものは、究極的にはこれを実行してみないかぎりその存在を証明しえないからだ。こうして、革命の実行は何らかの決断を要請するにもかかわらず、この決断の科学的正当性は事前には永遠に証明されえないため、したがってマルクス主義に基づく革命・蜂起の決行は不可能なものとなる。これはいわば客観性のジレンマと呼ぶことができるが[16]、現にレーニンは十月革命前夜に至るまで、権力奪取の成功の客観的な裏づけを求めて社会主義革命の実行を躊躇するボリシェヴィキの同志たちを必死に説得する羽目に陥ることになる[17]。

それでは、一体、マルクス主義の科学的な「客観性」に加えて何が必要だというのか。

仮に、「主体的要素」などという概念を安易に持ち出すのならば、それはあまりに曖昧模糊としている。そして、この点に関してまさしく非凡なレーニンは、あくまで客観性のカテゴリー内部で議論を進める。ひとことで言えば、必要なのは、これらの「客観性のなかにおいて在る」ということにほかならない。客観性を客体の側においてのみ認めるのか、それとも自らが客観性のなかに身を置くのかという点において、学者と革命家は截然と分かたれると言ってよい。無論、自然発生性への拝跪を斥けたレーニンは、一度この世界を完全な客体として把握すること、隠喩的に言いかえれば、世界の外部へ超出して世界を外側から見ることと、学者になることとの必要性を語っている[18]。しかし、純粋な客体として把捉された世界に主体が働きかけることは決してできない。なぜなら、完全な客観主義の立場を堅持するならば、いかなる行動も自然発生性の影響に屈した結果でしかありえないからだ。

したがって、革命家にとってきわめて重要なことは、何らかの意味でもう一度世界のなかへ戻ることである。だが、それは自然発生性と妥協することであってはならない。してみれば、世界のなかへ戻るとは、世界からの超出によって得られた客観性の領野を世界そのものとみなすということ以外の何事をも意味しない。言いかえれば、それは、世界から超出することによって到達された場所（＝客観性）こそが、じつは世界そのものであるということを承認せねばならないということにほかならず、「客観性のなかにおいて在る」とはこのような意味である。

3　革命の現実性

革命の必然性から現実性へ

レーニンの『何をなすべきか？』から垣間見えるこのような論理構造を理解することによって、ジェルジ・ルカーチのつぎのような言葉、「革命の現実性、これがレーニンの思想の核心であり、彼のマルクスとの決定的な接点である」(19)の意味を理解できるだろう。ここで述べられているのは、レーニンが革命を、必然性や可能性ではなく、現実性という位相でとらえていたということである。いま論じてきたように、レーニンにとっての革命的マルクス主義とは、科学的な知によって、現に存在する世界を離れ、客観性の領野に到達し、その領野をそのまま世界そのものとみなすことを要求する思想を意味した。そして、マルクス主義の教義においてレーニンがもっとも客観的なものとみなしたのは、社会主義革命の必然性にほかならない。

この認識によって、つぎのような事柄が思想の核心として結晶する。すなわち、科学的知識によって、世界の外部に超出することによって、「革命の必然性」が把握されるわけだが、先に述べたように、革命家レーニンの思想の核心とは、世界の外部への超出によってのみ得られるこの「客観的な必然性のなかにおいて在る」ことである。つまり、この「客観的必然性＝革命」を世界そのものとみなすということである。こうして「革命の必然性」は

「革命の現実性」に転化する。

したがって、レーニンにとって革命とは、社会主義者・革命家が科学的方法によって到来させるべきものである以前に、世界の客観的な状態そのものとして把握されている。それは誰かの意図によって発生する性格のものではない。もし、主意主義がそうするように人間的意図と革命を直接的に結びつけるならば、それは意図の欠如や不足によって発生しない場合もありうることを認めなければならなくなる。レーニンの考える革命は、人間の意図によって発生したり発生しなかったりする程度の存在論的地位しか持たぬものではない。それは世界の存在様態を現に規定しているものであり、したがって現実性という位相においてのみ正しく把握できる。だから、革命は起こすものではなく、それは、つねにすでに起こっている。してみれば、「歴史において何が必然的に生起するのか」という問題は、もはや問題にはなりえない。それはレーニンにとっては、知ろうとすべき事柄ではなかった。なぜなら、彼は「必然的に生起しつつあるもの」の内部にいたからだ。このような内部において、「つねにすでに生起しているものとしての革命」という「革命の現実性」が現れる。そして現実性というカテゴリーにおいてはじめて、「何を必然的に生起させるのか」という問題が出現しうる。「生起させるべきもの」は、徹頭徹尾「革命の現実性」の内部で把握されることになるだろう。

だから、レーニンのマルクス主義は、他のどのようなマルクス主義よりも徹底的に決定論的である。それは、「歴史の客観的必然性」を言いつのるあらゆる決定論とは質の異なる決定論なのだ。チェルヌィシェフスキーの小説が発表されて以来、ロシアの知識人を席捲した「何を為すべきか?」という問いに対して、あるロシアの皮肉屋の作家はこう応えたという。「夏にはジャムをつくり、冬になったらお茶を飲みながら賞味することだ[20]」、と。この作家は四方から激しい批判を浴びせられたそうだが、「歴史的必然性」を客体的にのみとらえる人びとは、この回答に反論することなど実はできはしない。

革命は単に必然的に生ずるであろうという認識を持つならば、それは「何を為そう」とも起こるに違いないのであり、したがって「何を為すべき」必要もないのである。これは決定論を徹底的に推し進めれば、論理的に必ず生じてくる結論である[21]。

革命観の「コペルニクス的転回」

レーニンによる「革命の現実性」という世界把握の方法は、このような決定論に対して根本的に反駁しうるモメントを含んでいる。レーニンにとって、「歴史の必然性」は、将来的に革命が生じることによってはじめて開示される、すなわち未来において開示されるものではない。このように革命を未来に設定することは、「いまここ」と「未来のどこか」との間に距離を設定することによって、必ず革命の客体化、必然性の客体化を生じさせる。その時、革命は非現前の位相に置かれ、それが必然的にいつか現前してくるであろうというのならば、「為すべきこと」はその時をひたすら待つことのみであろう。レーニンにとっては、革命はいつか未来に訪れるものではなく、「いまここ」につねにすでに現前している。つまり、世界は現に革命を孕んでおり、この「革命の現実性」によってすべては現に決定されている。ゆえに、主体が「為すべきこと」が、この「革命の現実性」に従う行動として現れる。

だからレーニンはノートにこう書きつける。「(人間の活動の)諸目的が実現されないのは、実在が存在しないもの(空無)とみなされ、実在の客観的現実性が承認されないからである」[22]、と。この一節はつぎのように書き換えることができよう。すなわち、「歴史の諸目的が実現されないのは、革命が存在しないものとみなされ、革命の客観的現実性が承認されないからである」、と。この革命観こそが、レーニンのマルクス主義の核心を成しており、革命観の「コペルニクス的転回」と呼ぶに値するものである。[23] この「転回」は、「革命の必然性から革命の現実性へ」という形で定式化することができよう。

つけ加えて言えば、この「転回」はレーニンにおいて抽象的思弁から生まれてきたものではなく、『何をなすべきか?』において語られた「新しいタイプの党」を構想し、同時にそこで経済主義・組合主義(=ロシア版の修正主義)と論争するなかで完遂されたものだ。レーニンはこの時点で、「必然性」のカテゴリーのみで革命運動をおこなうことの不可能性を明瞭に認識していた。というのも、経済主義・自然発生主義のイデオロギーが労働運動において蔓延することもまた、「必然的」な事柄だからである。なぜなら、「労働者は、自分たちの利害が今日の政治的・社会的体制全体と和解不可能な形で対立しているという意識、すなわち社会民主主義的意識を持っていなかったし、また持っているはずもなかった」[24]ので、そこでは経済主義的・自然発生主義的イデオロギーが「必然的」に蔓延《はびこ》るほかなく、したがって「意識性が自然発生性によって制圧されたのは、これまた自然発生的におこなわれたことである」[25][傍点原文]からだ。つまり労働運動は、社会主義の実現へ向かう闘争・革命には決して「必然的」にはならず、それを自然発生性にゆだねるならば、まさしく「必然的」に、資本主義の革命的廃絶ではなく搾取の緩和を目標とする経済主義的・改良主義的なものとなるということを、レーニンはここで明確に指摘している。要するに、自然発生性と「必然性」には大差がないのだ。このような現実状況があるにもかかわらず、「革命の必然性」を語ることは、端的に言って空虚である。だからレーニンはつぎのように言う。

　われわれ革命的社会民主主義者は、自然発生性に対して、すなわち「いまこの瞬間に」存在するものに対して、このように拝跪することでは満足しない。（中略）ひとことで言えば、ドイツ人たちは、現にあるがままのものに固執して、その変更を拒否しているのであるが、われわれは、あるがままのものを変更することを要求しており、このあるがままのものに拝跪したり、それと和解したりすることを拒絶している。[26]

「現にあるがままのもの」、すなわち「必然的に出来してきたもの」、この所与のものから「革命の必然性」を語ることはできない。だから、為さねばならないことは、この「必然的なもの」を「変更すること」である。このようにして「必然性」は凌駕される。それは、先に見たように、世界からの超出によって把握された「革命の歴史的必然性」が「世界への回帰」を経て内在的にとらえ返されることによって現れた、より高次のカテゴリーとしての「革命の現実性」によってなされるほかない。レーニンのイデオロギーが、マルクス主義の歴史のなかできわめて独自の地位を占めるのは、このような「転回」によってである。

起源なき革命

一九一七年の二月革命の勃発直前に、レーニンはスイスの労働者に対して講演をおこなっているが、この演説が有名なのは、ここで彼は帝国主義戦争に導かれて必然的に社会主義革命が起こるであろうことを予言しつつも「われわれ老人たちは、おそらく、この来るべき革命の決戦まで生き長らえることはないであろう[27]」という、もはや若くもなくなった亡命革命家の悲哀と悲壮とをいささか感じさせる発言をおこなったからである。またこの発言は、二月革命前夜におけるレーニンが、ロシアにおける即座の社会主義革命の可能性を予見も確信もしていなかったことを示す証左とも受取られてきた。

しかし、この講演の冒頭では、つぎのような、レーニンの思想の核心を知るうえでより重要な、驚くべき言葉が発せられている。それは、「今日は、『血の日曜日』、すなわちまったく正当にもロシア革命の始まりとみなされている日の十二周年記念日である[28]」というものだ。ここで「ロシア革命」という言葉に、「一九〇五年の」という修飾語が付せられていないことに留意しなければならない。

これまで多くの研究者たちが、「いつ、すなわち何年何月何日にレーニンはロシアにおける即座の社会主義革命の実行可能性を確信したのか」ということを見極めようとしてきたが、彼らが見出してきたのはレーニンのしばしば矛盾したスタンスであった。現に、この時点での「われわれ老人たちは社会主義革命に立ち会うことはできまい」という発言と、即座に社会主義革命を実行せよとの二月革命後の主張は、帝政の存在の有無という状況の変化を考慮しても、背馳《はいち》するように思われる。しかし、このようにわれわれが矛盾とみなすものは、この問いに含まれた先入見的前提、すなわちある特定の時点においてレーニンはロシアにおける社会主義革命の実行可能性を確信したに違いない、という前提が根本的に誤っているために、矛盾であるかのようにみえるにすぎない。ここでレーニンは、「血の日曜日」事件においてすでに革命が開始しているということを言いきっている。「血の日曜日」事件を嚆矢《こうし》とする一連の動乱は、大衆の革命的エネルギーの高揚を証明したとはいえ、十分な政治改革を成果として生じさせたとは言い難い。それにもかかわらず、ここからすでに革命ははじまっているとレーニンは断言するのである。

このことは、レーニンの思想の核心をなす「革命の現実性」を実に強く感じさせる。レーニンにとって革命は、時間的起源を持つものではない。つまりそれは、特定の時間にはじまる――この前提は革命がはじまらない可能性をも論理的に当然含むことになろう――性質のものではなかった。それは、無時間的に、つねにすでに進行している現実以外の何物でもない。もちろん「革命の現実性」は、時によって高まったりまた低くなったりする。だから、「われわれ老人はその実現まで生き長らえることはできないだろう」と感じられる時もある。しかし、「革命の現実性」は世界の客観的な状態そのものである以上、時には潜在的な領域に留まりながらも、それは世界を規定するもっとも強力な〈力〉でありつづける。

4　『何をなすべきか?』から『国家と革命』へ

世界そのものの革命化

このように見てくると、レーニンが遺した際立ってユニークな政党論・組織論でもある『何をなすべきか?』において描かれた、「戦闘的マルクス主義[29]」を実現する「新しいタイプの党」の確立が、具体的に何をめざしていたのかということが明瞭に理解される。この「新しいタイプの党」は、単に労働者の利害を代表するだけの大衆政党ではなかった。もしそのようなものをめざすのならば、ロシア社会民主労働党をわざわざ分裂させる必要はなかった。かといってそれは、陰謀やテロリズムによって帝政ロシア政府を直接的に攻撃しようとする組織でもなかった。もしそのようなものをめざすのならば、政府要人の暗殺を主要戦術とする「人民の意志」派的な戦術で十分であった。それは国家権力の奪取を直接的にめざすものですらなかった。それらの党はあくまで「革命を起こす」ためにある組織であろう。しかし、これまで述べてきたように、レーニンにとって革命は、「起こす」ものではない。では、「新しいタイプの党」の目的は何であり、それを構成する職業的革命家とは、一体「何を為すべき」人びとなのか。ロシア史家のマーティン・メイリアはつぎのように言っている。

この組織は、秘密結社的ではあったが、パリの革命家ブランキのように権力奪取を目的とはしていなかった。いつの日か危機が到来したときに権力を掌握するために、大勢の労働者を基盤とした理論家兼参謀という役割を果たしていた。その結果、党の任務は、現存社会のなかにある抑圧の源泉を片っ端からほじくりだすことだった。まず最初で最大のターゲットは労働者で、それから農民階級や少数民族にも範囲を広げて、彼らの抑圧感を煽り、虐げられている者全員に「科学的」階級意識を吹き込み、彼らのエネルギーを国家権力の革命的奪取へと向かわせた。[30]

この『何をなすべきか?』の要約は、基本的に適切なものであると思われる。なぜなら、『何をなすべきか?』というテクストには、「暴露」「煽動」といった大衆動員を表す言葉が氾濫しているからだ。大衆の「自然発生的運動の上を漂い」[31]これを追尾する組織に代わって、レーニンが緊急に必要であるとみなした職業的革命家の集団とは「大衆の革命的積極性を培養すること」[32]のできる運動を担う組織であった。この組織は「暴露」「煽動」によって、いわば大衆を「革命化」させる。これが「新しいタイプの党」のもっともユニークで重要な機能であった。革命の成否が言うまでもなく広義の大衆の動向に大きく左右される以上、この任務とは大衆を煽り立て、現存の秩序に火花（＝イスクラ）[33]を放つことによってそれを燃え立たせ、「革命の現実性」を高めることにほかならない。そして「革命の現実性」が世界の在り様そのものと等しいとすれば、レーニンが「暴露」「煽動」によってめざしていたものは、厳密な言い方で規定するならば、世界という器のなかで「革命を起こす」ことではなく、「革命の現実性」というエネルギーを器に充満させることによって、器としての「世界そのものを革命化してしまう」という前代未聞のラディカルな試みにほかならなかったのである。

ヘーゲルの「絶対的理念」

何らかの主体が「革命を起こす」ことではなく、革命からその主体を剥奪し、「世界そのものを革命化する」という戦術、言いかえれば「世界そのものを革命の主体とする」という、レーニンを他の社会主義者・革命家から際立った存在たらしめる独自の戦略は、彼のヘーゲル読解においても出現している。ルイ・アルチュセールは、『哲学ノート』におけるレーニンのヘーゲルの「絶対的理念」に対する注目に言及している。アルチュセールによればば、レーニンがヘーゲルの「絶対的観念論」に唯物論を見出したのは、つぎの二点においてであったという。

第一に、論理学の冒頭において。この部分は、無における存在を直接否定することによって、論理学がそこからはじまるものをすでにその冒頭から否定しています。このことはただ一つのこと、つまり起源を確認し、また同時に否定しなければならない、したがって主体はそれが提示されるや否や否定しなければならない、ということだけを意味します。

次に、絶対的理念はきわめて単純に絶対的な方法であるが、一方、絶対的理念は、過程の運動いがいのなにものでもないのであって、唯一の絶対者がそうであるように過程の理念にほかならない、というヘーゲルの有名なテーゼにおいて[34]論理学の起源は否定されねばならず、また同じことだが、絶対的理念は過程の運動としてのみとらえられるということが、何を意味するのだろうか。アルチュセールは以下のようにつづける。

レーニンは絶対を保持することによって、また理念を投げすてることによって、この観念の皮をむき、純化する。そしてこのことはまた、レーニンは《絶対的なものはこの世にただ一つしか存在しない、それは、方法、あるいは絶対的な過程そのものの概念である》という命題を、ヘーゲルから引き出していると述べることになります。さらに、ヘーゲル自身が『論理学』の冒頭によって、存在＝無を、また『論理学』の位置そのものによって、起源として否定された起源、主体として否定された主体をそこに招いたので、レーニンは、あらゆる起源とあらゆる主体を断乎として廃棄しなければならず（彼が『資本論』の深い読書からすでに学んでいたことです）、また、絶対的なものとは、現実におけると同時に科学的認識においても、主体なき過程であると言わねばならない、ということの確証をそこに見出すのであります。(35)〔傍点原文〕

ヘーゲルの「絶対的理念」が、革命家レーニンにとっては「社会主義革命」に変換されていたと考えても、おそらく差支えはないだろう。してみれば、レーニンがヘーゲル読書を通じて確信を深めた認識とは、「革命の現実性」という彼の思考様式の中核の正しさにほかならない。革命は何年何月何日にはじまるというような起源を持つものではなく、また主体によって起こすものでもない。現にある社会的諸情勢の運動の過程そのものが革命の過程であり、それは「革命の現実性」に貫かれている。『何をなすべきか？』に描かれた党組織とは、この「過程」を燃え上がらせ、ついには爆発させることをめざすものにほかならなかった。

一九一七年二月のロシアで、ついに誰の眼にも見える形にまで「革命の現実性」は高まった。世界を規定するもっとも絶対的で唯一の〈力〉とレーニンがみなしたものは、いまや潜在態から顕在態へと移った。「革命の現実性」は、強度の低い現実性（＝ユートピア主義）を打ち倒し、それが行き着くべきところに至ろうとするだろう。この〈力〉の行方を見定めるには、本書で後に試みるように、革命と同時進行で書かれた『国家と革命』に対して詳細な読解を施す必要がある。

だが、その前にわれわれは、『何をなすべきか？』をさらに詳しく読解することによって、マルクス主義思想からレーニンが引き出した原理、すなわちこの世界から超出し、現にある世界の外部に達しつつ、同時にこの世界に還帰するという思想がいかなるものであったのかということを、精査することにしよう。

第二部　『何をなすべきか？』をめぐって

第三章〈外部〉の思想——レーニンとフロイト（Ⅰ）

1　抑圧されたものの探求

二〇世紀の巨人

この第二部では、精神分析の創始者ジークムント・フロイトの思想を導きの糸として、レーニンの思想、わけても『何をなすべきか？』に表現された彼の思想への考察を深めることがめざされる。

ここで言及する対象がフロイトであるのは、もちろん恣意的な選択ではない。これから見るように、この二人の人物の言説にある種の親近性があるからこそ選ばれたのである。だが、レーニン（一八七〇～一九二四年）とフロイト（一八五六～一九三九年）という組み合せは、そもそも奇異なものだろうか。例えば、彼らが現役で活動した時代を生きたアンドレ・ブルトン（一八九六～一九六六年）のような人間にとっては、この二つの名が等しく並び立つことには、何の違和感もなかった。われわれはひとまず予断を差し控えるとして、少なくとも言いうることは、疑いなく両者とも二〇世紀の思想と歴史に巨大な足跡を遺した人物である、ということだ。

ただし、本部の目的はいわゆる「影響関係」を問うこと、すなわちフロイトを読むレーニン、レーニンを読むフロイトについて考えることではない。

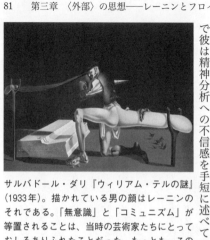

筆者の知るかぎり、レーニンがフロイトの著作を読んでいたことを証する確たる証拠は存在しない（もっとも彼の書斎には『精神分析入門』を含む三冊のフロイトの著作があった）[1]。レーニンのフロイディズムへの態度を物語る資料は間接的なものしかなく、そのなかで彼は精神分析への不信感を手短に述べているのみだ[2]。

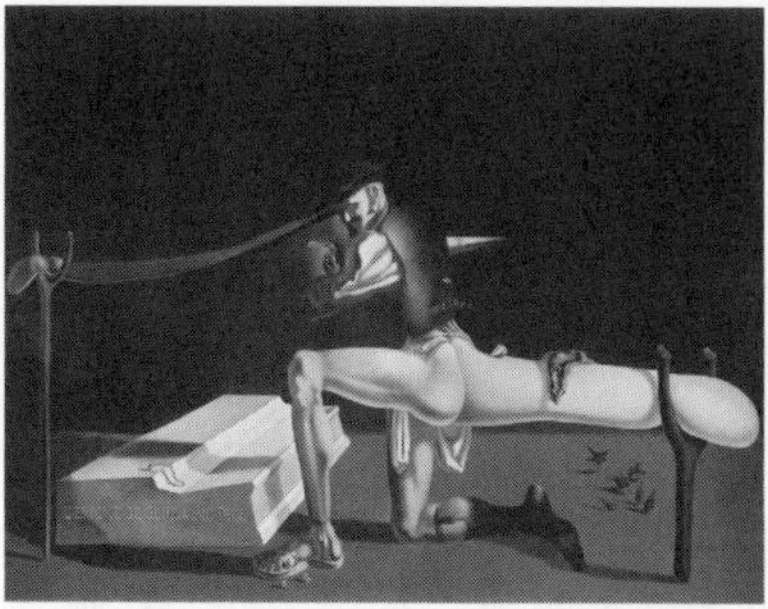

サルバドール・ダリ『ウィリアム・テルの謎』(1933年)。描かれている男の顔はレーニンのそれである。「無意識」と「コミュニズム」が等置されることは、当時の芸術家たちにとってむしろありふれたことだった。もっとも、この画はダリとブルトンが仲違いする原因となってしまったのだが……。

他方、フロイトはソヴィエト政権・ボリシェヴィズムについて幾度か発言しており（『ある幻想の未来』、『文化への不満』、『続・精神分析入門』など）、彼が生まれて間もない社会主義体制の行方にかなりの興味を持っていたことがうかがわれる。だが、その興味の水準が当時の知識人が革命ロシアに対して抱いていた関心の一般的なそれに比して抜きん出て高いものであったのかどうか、ということは判断しがたい。少なくとも確実に言いうることは、フロイト自身が認めているとおり、彼がマルクスやレーニンを熱心に読んだという事実はないであろうということであり、右記のテクストに見られるフロイトの革命的マルクス主義への評価は、総じて相当に懐疑的あるいは批判的なものだ。

つまり、これから登場する二人の主人公は、お互いに対して決して良好な感情は持っていなかった。しかし、それにもかかわらず彼らには、おそらく彼らの意識的な意図を超えて、似通ってしまっている点がたしかに存在する。ゆえに、筆者が本書で考察しようと試みるのは、両者の論理構造、思想の形態における親近性であり、それはおそらく両者が共通して取り組もうとした時代の問題のありかを指し示すのではないかと考えられるのである。

プロレタリアートと無意識

まずは、両者の近さを示すいくつかの状況証拠を挙げることからはじめよう。この第二部が主題的に取り上げるレーニンのテクストは『何をなすべきか?』であるが、このテクストが書かれたのは一九〇二年のことであり、それはあの『夢判断』が世に問われたわずか二年後のことである。つまり、単純に言って、両者には同時代性があり、二〇世紀前半の思想潮流が有する特徴としての反合理主義の性格を両者とも持ちあわせている。

そして、両者のなしたことの同型性を挙げることもできよう。すなわち、彼らが向かった対象は、レーニンにおいてはプロレタリアートであり、フロイトにおいては無意識である。そして、その共通特徴は、いずれも「抑圧されたもの」であることは言うまでもあるまい。そして、これから見るように、二人とも単に「抑圧されたものの解放者」をもって自任したわけではないこともまた共通している。彼らが解放について語る時、彼らの言説は、一般にイメージされる自由への「解放」（プロレタリア階級の解放、性の解放）という概念とは微妙に異なる位相においてそれを語っていた。それが、この二人の思想家・革命家を結びつける強固な接点なのだ。

しかしながら、これらの言葉はいまだ印象批評的な水準のものにすぎない。まずは、レーニン『何をなすべきか？』を検討することから議論をはじめよう。

2　思想の外部性

フロイト的テクストとしての『何をなすべきか？』

レーニンのめざしたことが、それが成功を収めたとは単純に言えないとしても、革命によるプロレタリア階級・被抑圧者階級の解放であったことは自明である。だが、それは、「抑圧されたものの解放」はいかにして企てられるのか。『何をなすべきか？』は、レーニンがそれをもっとも明瞭な形で語ったテクストのひとつである。

そして、このテクストが主として語っていることは、ある意味で心理学的言説にほかならないことを銘記すべきである。なぜなら、このテクストの第一の主題が「新しいタイプの党」の構想であり、したがって組織論であるとしても、この組織の任務とは大衆の革命的意識性を高めることにほかならないのだから。そして、テクストのほぼ全篇にわたって展開される「自然発生性＝無意識性」と「意識性」との闘い。「病気」に擬《なぞら》えられる「自然発生性への拝跪[3]」。要するに、一見したところですでに、『何をなすべきか？』にはフロイト的タームが横溢していることが明らかである。

しかし、このテクストのもっともフロイト的な部分とは、このような表面上の語彙の問題ではない。真にフロイト的であると言いうるのは、本書第一部でも触れたこのテクストの根幹的な主題のひとつであり、そしてこのテクストが今日悪名高いものとなったもっとも端的な理由をなしている、いわゆる「階級意識の外部注入論」にほかならない。

階級意識の外部注入

では、今日のデモクラティックな政治学からはもちろんのこと、レーニンへの敬意を必ずしも失っていないような左派からすらも蛇蝎《だかつ》のごとくに嫌われ、また言及される際にはそれに非難を加えることがほとんど義務のようなものとなっている「階級意識の外部注入論」とはいかなるものなのか。レーニンは、既存の労働者運動のあり方についてつぎのように言う。

それら［引用者註：組織的なストライキを指す］は、労働者と雇主との敵対の目覚めを表示するものであったが、しかし労働者は、自分たちの利害が今日の政治的・経済的

> 体制全体と和解しえないように対立しているという意識、すなわち社会民主主義的意識を持っていなかったし、また持っているはずもなかった。（中略）この意識は外部からしかもたらしえないものだった。労働者階級がもっぱら自分の力だけでつくり上げることができるのは、組合主義的意識、すなわち、組合に団結し、雇主と闘争をおこない、労働者に必要なあれこれの法律の発布を政府から勝ち取るなどのことが必要だという確信にすぎない。このことは、すべての国の歴史の立証するところである。他方、社会主義の学説は、有産階級の教養ある代表者であるインテリゲンツィアによって仕上げられた哲学・歴史学・経済学上の諸理論のうちから、成長してきたものである。近代の科学的社会主義の創始者であるマルクスとエンゲルス自身も、その社会的地位からすれば、ブルジョア・インテリゲンツィアに属していた。ロシアでもそれとまったく同様に、社会民主主義の理論的学説は、労働運動の自然発生的成長とはまったく独立して出現したのであり、革命的・社会主義的インテリゲンツィアの許で思想が発展したことによる自然的かつ必然的な結果として、それは現れたのである[4]。［傍点引用者］

ここでレーニンがやろうとしていることは、プロレタリア階級の解放者を自任する自分自身やマルクス主義の創始者たちの階級的出自がプロレタリア階級ではないことを理論的粉飾によって正当化することではない。レーニンにおいては、近代ロシアの知識人に典型的なロジック、すなわち「悔悟するインテリゲンツィア」の「疚しい良心」によって自己正当化をおこなうというロジックをまったく見出すことができない。なぜなら、「ヴ・ナロード」（人民のなかへ）の言葉に象徴されるように、「悔悟」から発する行為の理想が「虐げられた者たち」と一体化することであるとすれば、『何をなすべきか？』においてレーニンが明確に宣言していることは、理論的な領野においては革命家はプロレタリアと共に戦ってはならない（＝一体化してはならない）、ということにほかならないからだ。つまり、引用者が傍点を付した部分からも明らかなように、レーニンが第一義的に主張していることは、社会主義理論の労働者階級に対する絶対的な外部性なのである。

だがそれは、単に理論の担い手が労働者階級に対して階級的に他者でなければならない、つまり理論家は労働者階級の出身者であってはならない、という意味ではない。

実は、しばしば見落とされていることだが、その理論が人格的に、あるいは階級的に誰から発せられるべきかということは、レーニンにとってまったく副次的な問題にすぎない。その証拠に、『何をなすべきか？』には、第一部の注の18にも引用したが、「労働者がこのイデオロギー［引用者註：社会主義的イデオロギーを指す］をつくり上げる仕事に参加しないということではない。ただ彼らが参加する場合には、労働者としてではなく、社会主義の理論家として、つまりプルードンやヴァイトリングのような人として参加するのである」[5]という記述がある。にもかかわらず、社会主義理論の担い手がテクスト内においてもっぱらブルジョア・インテリゲンツィアに特化されがちであるように感ぜられるとすれば、それは今の引用部分に書かれたような出来事が生じる蓋然性が当時低かったからであるということにすぎない。

われわれの要点に戻れば、レーニンが持ち込んだ決定的な論点とは、社会主義理論のプロレタリア階級に対する外部性であり、それはプロレタリア革命の理論と実践はプロレタリア階級からは必ずしも生じないという逆説をもたらさずにはおかない。しかし、労働力の商品化に基づく資本主義とそれによる階級構造の客観的性格からして、プロレタリア階級による内発的な運動（＝労働運動）が、即自的には社会主義革命をまったく意味しないということは、実は逆説ではない。このことをレーニンは「すべての国の歴史の立証するところである」として、経験に基づく推論の形で述べているが、これは資本主義的生産様式が必然的にもたらす階級構造の分析によって原理的に証明しうる事柄である。その証明については、本書第三部でおこなうことになるので、ここでは詳述しないが、その要点は、労働者が労働者であるということは資本主義的生産様式がもたらす階級構造の内部で労働者であるということを意味するから、労働者が労働者として運動するということは、それがあくまで資本主義内部における運動にすぎないものに必然的にとどまらざるをえず、その構造そのものを乗り越えることはできない、ということだ。

それゆえ、レーニンは「階級的・政治的意識は、外部からしか、つまり経済闘争の外部から、労働者と雇主との関係の圏外からしか、労働者にもたらすことができない[6]」「傍点原文」と言う。したがって、レーニンが強調する外部性とは、プロレタリア階級が自己自身を揚棄するという、つまりプロレタリア階級の立場を超えるための運動（＝革命運動）をおこなうことを可能にするような、そのようなイデオロギーが必ず持ち合わせていなければならない性格なのである。

一方で、プロレタリア階級から内発的に出てくるイデオロギーは、経済主義・自然発生主義・組合主義として、要するにプロレタリア階級に対する搾取の相対的緩和をめざすものとして現れる。それらが自らの要求を実現したとしても、そのことによって資本主義の廃絶がもたらされているわけではまったくないことは言うまでもない。

つまり、真正な社会主義的イデオロギーは、プロレタリア階級の内発的な意識においては、現れ出ることが阻害されている。言いかえれば、それは抑圧されたものである。

ゆえにレーニンはつぎのように考えた。すなわち、労働運動のイデオロギーが資本主義によって構成される客観的階級構造に対応したものであるかぎり、それは資本主義の枠組みの内部にあるイデオロギーであるにすぎず、したがって非革命的なものであるがゆえに、断固として斥けられなければならないのである、と。

3 『モーセと一神教』

「モーセがエジプト人であったとすれば」

ここで、レーニンの議論の核心部分とフロイト理論がいかなる親近性を有しているのか、という問題に早速斬り込むことにしよう。ある種のイデオロギーの外部性、つまりそのイデオロギーを語る者がそれを聞く人びとの共同体にとって外部に立つ者であることを論じたテクストとして即座に想起されるのが、フロイト最晩年の著作である『モーセと一神教』（一九三九年）である。

この論考は、「モーセがひとりのエジプト人であったとするならば」、つまりユダヤ人共同体を形成した指導者がユダヤ人に対する他者であった、という異様な仮定によってはじまる。断固たる無神論者である一方で自らの民族的出自を決して隠しも否定もしなかったこのユダヤ人思想家が、ナチズムの嵐が吹き荒れる最中で、自身も亡命を余儀なくされつつ、自民族の英雄に関して、有名無名の人びとからの猛反発を予想しながらも、このような仮定をなすことの動機が一体どこにあるのだろうか。このことを推し量るのは容易ではない。そして、その動機についてフロイト自身は、真理探究の衝迫という決まり文句以外には何も明示的に述べてはいない。

してみれば、この仮定が何を意味するのかということについては、このテクストの主題との関連性において考えてみるほかない。標題にあるように、このテクストのテーマは「一神教」であり、当然それはユダヤ教を指す。したがって、モーセはエジプト人であったとするフロイトの議論の要点は、ユダヤ教の一神教のイデオロギーは共同体から内発的に生じてくるのではなく、共同体の外部から持ち込まれるほかなかったものだということである。

しかも、フロイトによれば、一神教の発想そのものがユダヤ人やモーセその人にすら由来するものではなく、モーセと彼の民が脱出した古代エジプトの挫折した宗教改革者に由来するものであったという。つまり、フロイトは、一神教という発想そのものは何ら特別なものではなく、むしろありふれたものであるということを言っている。フロイトいわく、古代エジプト国家の「帝国主義が宗教においては普遍主義と一神教として現れるようになった」[7]。つまり、それはその起源においては、国家の強大化にともなって現れた自己誇大妄想的なイデオロギーであったにすぎない。

ゆえに、フロイトが論じている一神教の問題とは、その発想そのものではなく、それが迫害されたユダヤ人においてなぜ強固に維持されえたのかという問題なのである。そして、このイデオロギーの「維持」という主題において、『トーテムとタブー』（一九一三年）において語られた事柄が、『モーセと一神教』に関わってくる。

『トーテムとタブー』において、フロイトはあらゆる宗教の起源を証明しえたと考えたが、その論理はつぎのようなものであった。すなわち、宗教の起源は、かつて共同体のすべての女性を暴力的に独占した「原父」を息子たちが殺害し、そこから兄弟たちの誰もふたたび原父となることが不可能になるように近親相姦の禁止と族外婚という社会的規範が生まれ、それと同時に原父と同一視されたトーテム動物に対する崇拝が、かつての父殺しに対する負い目として出現する、ということにある。フロイトは宗教史家の研究に依拠して、モーセはエジプト脱出の後にユダヤ人によって殺害されたと推測しており、この論理は『トーテムとタブー』における「原父殺し」の論理をなぞっている。

原父殺しの記憶

しかし謎であるのは、この殺された「父親への追憶」が共同体のなかで「生き続ける」[8]、すなわち「維持される」ということなのだ。フロイト自身が「幾千年もの時の流れのなかで確かに完全に忘却されてしまった」[9]と考える事柄が、いかにして伝承されるというのか。この問題に対してフロイトは、殺害の記憶が「無意識的な記憶痕跡」として保存されるとしているが、不可解なのは、集団的な記憶がいかにして無意識的領域に保たれるのかということだ。この不可解な印象を与える問いに対して、フロイトはつぎのように答える。

よくよく考えてみるに、われわれは長いあいだ、先祖によって獲得された事柄に関する記憶痕跡の遺伝という事態は、直接的な伝達や実例による教育の影響がなくても、疑問の余地なく起こっているかのように見なしてきたと告白しなければならない。（中略）太古の遺産のなかに記憶痕跡が存在することの証拠として、現在のところわれわれは、系統発生から導き出さざるをえない分析作業中の残滓現象よりも強力なものを持っていないと認めるしかないが、しかしこの証拠であっても、太古の遺産のなかの記憶痕跡の存在を自明のこととして仮定するに十分な力を持っている、と思われる。[10]

フロイトは、精神分析によって解明される心の構造に対する生理学的・生物学的対応物が何時の日にか見出されるはずだという考えを終生捨てなかった。

この立場からすれば、先祖由来の記憶痕跡が情報伝達以外の手段によって伝達されるならば、それは人間がその社会的生活によって獲得した形質が遺伝子情報によって伝達されるという結論を意味しているはずだ。フロイトがここでこのことをあえて断言しないのは、「後天的獲得形質が遺伝する」とするラマルクの思想に彼が影響を受けていたのだが、当時においてすでにラマルク主義が生物学界において異端の学説であったからであろう[11]。しかし、テクストの後の部分では、ついに「われわれは、太古の時代の心的沈殿物はそのつどの新しい世代においてただ覚醒させられるだけでよく、新たに獲得される必要がない遺伝的遺産となったとの考えを採ることを断固として表明する[12]」〔傍点引用者〕と書かれている。

このように結論が出されているとしても、しかしながら、依然として疑問は解消されない。すなわち、「覚醒させられる」とは一体いかなることなのか。そもそも、先祖由来の記憶の伝達が生物学的遺伝によるものだとフロイトが一義的に考えていたとすれば、生物学の常識からしてそのような考えは単なる臆説にすぎなくなるだろう。したがって、問題はこの「覚醒」が何を意味するのかということなのである。

イデオロギーの外部性と無意識

原父殺しの記憶が「覚醒させられる」とは、ひとことで言えば、神経症が強迫的に発症するということを意味する。記憶痕跡の伝達について、生物学的遺伝説による説明を斥けるならば、フロイトが展開している説得力のある議論は、メタ心理学的概念に基づく議論（この議論については後に考察する）を除けば、原父殺しのプロセスが個人の精神形成の過程で反復されるという議論を措いて他にない。すなわち、幼少期に形成されるエディプス・コンプレクス、去勢コンプレクスによって無意識的領域に「抑圧されたもの」が、成人してから後に神経症として回帰するという周知の議論である。フロイトはつぎのように言う。

私は一片の疑念も持たずに言明する。人間は、彼らがかつてひとりの原父をもち、そしてその原父を打ち殺してしまったということを――独特のかたちで――常に知っていたのだ、と。⑬

「独特のかたちで」というのは、無意識の領域において、という意味にほかならない。ゆえに、逆に言えば、意識の方ではそれを知らない、ということである。そしてここにこそ、ある種のイデオロギーの外部性という問題がある。

なぜならば、例えばエディプス・コンプレクスと去勢コンプレクスの教義によれば、男児が必ず抱くと想定される母親との近親相姦の欲望は抑圧され、それは断念させられざるをえない。しかし、その欲望自体は消滅・解消してしまうのではなく、意識上では忘却されるが、無意識の層に沈殿する。そして、その欲望は、意識に対して外部に存する他者として、言いかえれば、意識が統御することのできないものとして、夢および神経症において出現するわけである。

フロイトは宗教を一種の集団神経症とみなすと同時に、個人の神経症と集団の神経症との間に本質的な差異を認めなかった。ここからつぎのような仮説をフロイトは立てる。

早期の心的外傷——防衛——潜伏——神経症性疾患の発症——抑圧されたものの部分的回帰。われわれが提示した神経症の発展に関する典型的な形式はこのようなものであった。さてここで読者は、人類の生活においても個人の生活における事態と似たようなことが起こったという考えへと歩みを進めたくなるであろう。すなわち、人類の生活のなかでも性的・攻撃的な内容の出来事がまず起こり、それは永続的な結果を残すことになったのであるが、しかし、とりあえず防御され、忘却され、後世になって、長い潜伏ののちに現実に活動するようになり、構成と傾向において神経症の症状と似たような現象を生み出すに至ったのだ、と。(14)

してみれば、ユダヤ人において一神教のイデオロギーが、モーセが殺害されてしまったにもかかわらず、否、まさにそれゆえにこそ、維持されたという現象は、神経症的な強迫反復にほかならないのである。そして、モーセが本当にエジプト人であったか否かという問題は、いまや本質的には重要でないということが明らかになるだろう。フロイトはすべての考察を、この「モーセがひとりのエジプト人であったとするならば」という仮説から開始するにもかかわらず、この仮説の正当性という問題に行論中立ち戻ることがないことは理に適っている。なぜなら、モーセのイデオロギーがユダヤ人にとって外部性を持つことになるのは、それが神経症として、「抑圧されたものの回帰」として、すなわち意識に対する外部性として現れることにおいてである以上、「モーセがユダヤ人共同体に対して外部に立つ者であった」ということは、神経症の意識に対する外部性が論理的に要請する事柄であるにすぎず、仮構であるか事実であるかは問題にならない事柄であるからだ。

おそらくここで、レーニンが語った、本物の社会主義イデオロギーの出自は労働者階級に対して人格的・階級的という意味ではなしに、外部のものでなければならないという主張と、フロイトが語ったモーセのイデオロギーのユダヤ人共同体に対する非民族的な意味での外部性という事柄が、じつに似通ったものであることを確認しておくべきだろう。

しかし、それでもわれわれにとっていまだに了解できないことは、フロイトが強迫的に回帰すると考えるイデオロギーが、なぜ一神教のそれでなければならなかったのか、ということである。というのは、われわれの読解は、モーセをひとりの原父と規定することになった、つまり『トーテムとタブー』の議論のなかに『モーセと一神教』を回収してしまったわけだが、もしこれでこと足れりとするならば、後者のテクストの特異性は消滅してしまう。『トーテムとタブー』が『モーセと一神教』に影を落としていることは言うまでもない。しかし、前者は必ずしも一神教を説明するものではない。なぜなら、トーテミズム的信仰と多神教が問題なく両立しうる一方で、フロイトの考えるような厳格な一神教がトーテミズムを許容することなどありえないからである。したがって、われわれがさらに考察すべき問題は、単なる「帝国主義の反映」[15]としてのものとは異なる意味での一神教とはいかなるものなのか、という問題である。

4 一神教的イデオロギーと偶像崇拝の禁止

多神教への後退としての修正主義マルクス主義

われわれは、フロイトの洞察によって、レーニンのイデオロギーを一種の強迫神経症として理解しうること、つまり、レーニンの言う社会主義のイデオロギーの外部性とは、プロレタリア階級の意識にとって抑圧されたものにほかならないということを意味することを学んだ。今度は逆に、レーニンの洞察を参考にして、フロイトの言う一神教の構造を特徴づけることを試みるとしよう。

『何をなすべきか?』というテクストが語ることは、マルクス主義に基づく社会主義の教義を一神教化しなければならないという主張であった、と断言してよい。本来的な一神教は必ず排他的なものとして現れざるをえない。なぜなら、それはその出現以前に崇拝されていたさまざまな神々への信仰を禁圧せずにはおかないからだ。

無論、一神教のこのような側面は「理念型」であって、現実的には多くの場合、例えばキリスト教が典型的にそうであるように、一神教は在来の土着的な神々と妥協することによって勢力を拡大する。同様のことは、マルクス主義の理論史においても生じた。その顕著な代表例が、レーニンが『何をなすべきか?』のなかでそのロシア版が「経済主義」「組合主義」であるとして痛烈に批判した、ドイツの社会民主党員エドゥアルド・ベルンシュタインによる修正主義の提唱である。「運動がすべてであり、最終目標（＝革命）は無である」と宣言したベルンシュタインは、マルクス主義の教義から革命という神秘的なものを取り除こうとした。つまり、労働者階級の利益を実質的に拡張するためには、社会主義革命という経験的に確かめられない理念を振りかざすべきではない、というのが彼の理論の要諦である。

　後に見るフロイト流の宗教発展のパースペクティブからすれば、これは一神教から多神教への退行にほかならない。なぜなら、ベルンシュタインのこのような一種の「合理主義」は、古代的なアニミズム的・多神教的心性においても存在するからだ。というのは、アニミズムにおいて、例えば雨が降ることが必要ならば、人びとは雨の神に祈ったり、犠牲を捧げたりする。逆に日光が必要ならば、人びとは太陽の神に祈るであろう。そして、時にこれらの努力は報われるかのように見えるのであり、共同体にとって、必要な時に必要に応じてさまざまな神に祈るということは、共同体の利害への考慮からして実に「合理的」と呼びうる行為である。彼らの行動が近代的な意味では合理的とみなせないのは、因果関係を把握する仕方が古代人と近代人とでは異なるからであるだけのことにすぎない。また、このとき、これらの神々は実際には超越的な神ではない。なぜなら、それは共同体の利害の投影にすぎないからである。ゆえに、マックス・ウェーバーの表現を借りれば[16]、これらの宗教的行為において、神は実際のところ崇められているのではなく、人びとによって利益《りやく》をもたらすよう

「強制」されているのである。

ベルンシュタインによる革命運動の労働運動への引き下げという「合理的」提唱は、まったく同様の論理を持っている。つまり、労働者階級という一種の実体化された共同体の利益を合理的・功利的に追求するならば、歴史の弁証法によって演繹されたプロレタリア革命などという神秘的な「超越」はまったく不要であり、労働運動は労働者階級のその都度の利益という実のある恵みをもたらす神々を信ずるべきであるということだ。

革命家と労働者階級の断絶

レーニンがこれに対置して主張したことは、革命的イデオロギーは労働者階級の外部になければばならないということである。レーニンはつぎのように言う。

大衆運動の自然発生性の前に拝跪すること、社会民主主義的政治を組合主義的な政治に引き下げること、こういった事柄はどのような形であれ、とりもなおさず、労働運動をブルジョア民主主義の道具に変える地盤を準備することにほかならない。このことがなぜなのかを理解するために、少しばかり考えてみる必要があろうというものではないか。自然発生的な労働運動は、それだけでは、組合主義しか生み出せない（また不可避的にそれしか生み出さない）が、労働者階級の組合主義的政治は、ほかならぬ労働者のブルジョア的政治なのである。労働者階級が政治闘争に参加しても、それどころか政治

革命に参加してさえ、それだけではまだ労働者階級の政治は決して社会民主主義的政治にはならない。(17)［傍点原文］

後代の解釈家の多くは、「社会民主主義的政治が組合主義化することとは、それがブルジョア民主主義化することである」というレーニンの定式に、狂信者の言葉しか見出すことができなかった。しかし、それにもかかわらず、ここでレーニンが言っていることは論理的には絶対的に正しいのである。資本制の枠内での労働運動は、その枠内での利益の拡張（＝労働組合主義）を意味する。つまり、先にも述べたように、労働者階級が労働者階級として運動するかぎりは、それは労働者の雇用条件を相対的に向上させることをめざすということを意味するにすぎず、労働者が労働者であることに何らの変更も加えられることがない以上、それは資本制社会が実質的に肯定されているということにほかならないのである。

してみれば、レーニンの主張の要点は、真正の社会主義イデオロギーは資本制社会における階級関係を反映してはならない、という定式に約言されうるであろう。こうして、くりかえし述べてきたように、レーニンのイデオロギーは労働者階級の外側に立つこととなる。そしてそれは、労働者階級がさまざまな神々（＝短期的な実質的利益）に心を奪われることを禁止せずにはおかないであろう。

また、『何をなすべきか？』においてレーニンがテロリズム批判をおこなっていることも、ここで特筆しておくに価する事柄である。このことは、レーニンがこのテクストで提起した問題は「漸進主義か急進主義か」という問題とはまったく無関係の、それとは異質なものであったことを示している。つぎのような言葉を引用しておこう。

「経済主義者」と今日のテロリストとにはひとつの共通の根がある。あの自然発生性への拝跪が、それである。（中略）これは逆説ではない。「経済主義者」とテロリストとは、自然発生的潮流の相異なる対極の前に拝跪するのである。すなわち、「経済主義者」は「純労働運動」の自然発生性の前に拝跪するし、テロリストは、革命的活動を労働運動に結びつけてひとつの全体とする能力を持たないか、またはその可能性を持たないインテリゲンツィアの、最も熱烈な憤激の自然発生性の前に拝跪するのである。[18]［傍点原文］

論じてきたように、革命家は労働者階級の外側に立たなければならないということを、レーニンは主張した（＝経済主義批判）。そして、ここで加えて言われていることは、外側に立つということは革命家が労働者階級を代行する――抑圧を受けている労働者に代わって政府や資本家階級を物理的に攻撃する――ことでもない、ということである。

以上の考察からますます明瞭に浮かび上がってくるレーニンの主張の特徴とは、革命家と労働者階級との間の関係がある意味で徹底的に断絶されている、ということにほかならない。というのも、革命的社会民主主義者は労働者階級の内在的イデオロギーとは別の言葉を吐き、そしてさらには労働者階級に成り代わって行動することもしないのだから。こうして、レーニンの主張の持つ独特な一神教的論理が明らかになる。それはマルクスの演繹した革命の理路のみを信ぜよということであり、言いかえれば、それ以外の事ども、すなわち労働者階級の短期的利益や革命家の主意主義的な情熱を物神的に奉じてはならないということである。

特殊な一神教としてのユダヤ教

フロイトにとってユダヤ教が特権的な一神教として考察の対象となりうるのは、それが「帝国主義の反映」として定義することがまったくできないからである。現代のイスラエル国家を例外として、ユダヤ人の歴史とは一方的に迫害を受ける者の歴史であるとすれば、彼らが一神教を奉ずるのは自らの強大さのアナロジーとしてではありえなかった。それでは、彼らの一神教とははたして何なのか。それが自らの強大さのアナロジーではないにもかかわらず、一神教たりえている理由は何なのか。

結局のところフロイトは、ユダヤ教の際立った特徴を偶像崇拝の禁止に見出す。偶像崇拝の禁止が意味することは、フロイトによれば以下のようである。

この掟は、いったん受け容れられたならば、根本的な影響力を発揮するしかないものであった。なぜなら、この掟は、抽象的と称すべき観念を前にしての感官的知覚蔑視を、感覚性を超越する精神性の勝利を、厳密に言うならば、心理学的に必然的な結果としての欲動の断念を、意味していたからである。[19]［傍点引用者］

そして、ここに『トーテムとタブー』から『モーセと一神教』を分かつ論理があると言わなければならない。すなわち、たしかにフロイトはトーテム動物に対するタブーをもたらすトーテミズムのシステムを一種の「欲動断念」と規定するが[20]、トーテミズムが、タブーと同時にトーテム動物を引き裂きそれを食い尽くす「トーテム饗宴」の儀式をもたらすことを重視する。[21]この饗宴において原父の殺害場面が反復され息子たちの結束が確認されるわけだが、フロイトがロバートソン・スミスに依拠して主張する重要な点は、このトーテミズムの儀式がキリスト教の聖体拝受の儀式に引き継がれているという指摘である。[22]そして、トーテム饗宴と聖体拝受の儀式において共通するのは、殺害された原父（フロイトはイエス・キリストをもひとりの原父とみなしている、ゆえに彼は当然殺害された）との想像的な合一（＝和解）である。

だが、より重要なことは、イエス・キリストの出現とキリスト教の成立そのものを、フロイトは厳格な一神教からトーテミズム的な段階への退行（フロイトにとってすべての宗教の起源はトーテミズムにあるのだから、一神教はそれが進化したものとしてとらえられている）として、考えていることだ。してみれば、フロイトの言うユダヤ教＝一神教的な「感官的知覚蔑視」、「感覚性を超越する精神性の勝利」の起源は、トーテミズムに現れる「息子と殺害された原父との合一＝和解」を拒否した、ということに見定められなければなるまい。フロイトにとって、ユダヤ人とはキリスト教を受け容れなかった人びとの別名である[23]。そして、キリスト教とは「息子たる者が、父なる神に取って代わってしまった」宗教であり、そこでは「まさしく、先史時代にすべての息子がそれぞれ熱望していたことが起こった[24]」とされる。なぜなら、息子が父なる神の地位へと上昇したからであり、これはトーテミズムによる「欲動断念」が解除されたことを意味する。

ユダヤ教にとって受け容れ不可能なのは、言うまでもなく、このような論理である。表象することさえできない神の位置に人が昇ることなど考えるべくもなく、したがってまた、そもそもはトーテミズムに由来するタブーも、トーテミズムそのものよりもはるかに厳格なものとして「欲動断念」を人びとに迫るのである。

しかし、イエス・キリストという人間は確固たる原父＝神として地上に出現してしまった。欲動の断念は破られた。ゆえに、事態は以下のように展開することになる。

キリスト教はユダヤ教が登りつめた精神化の高みを維持できなかった。キリスト教はもはや厳格に一神教的ではなくなり、周辺の諸民族から数多くの象徴的儀礼を受け容れ、偉大なる母性神格を再び打ち立て、より低い位置においてではあるにせよ、多神教の多くの神々の姿を見え透いた隠しごとをするような仕方で受容する場を設けてしまった[25]。

フロイトは「神の子の出現」という出来事それ自体に、偶像崇拝への後退の萌芽を認めているのである。キリスト教の出現の事情がかくのごとくである以上、それが聖体拝受の儀式においてトーテミズムを復活させ、神と人との間にあるユダヤ教的な絶対的断絶を否定するとしても、何ら驚くべきものではなかったはずだ。

ちなみに、ユダヤ教とキリスト教との関係についての以上のようなフロイトの見方は、精神分析に特有の用語とフロイト特有の宗教発展観を取り払ってしまえば、別段奇を衒《てら》った特殊なものではない。ウェーバーはつぎのように言っている。

厳密に「一神教的」であるのは、詮じつめればユダヤ教とイスラム教だけであり、このイスラム教ですら、のちに浸透した聖者崇拝によっていくぶん弱められている。キリスト教の三一論は、ヒンドゥ教や後期仏教や道教の三一論における神の三身論的把握とは違って、ひとり本質的には一神教的なはたらきを示しているが、他方ではカトリックのミサ儀礼や聖者崇拝は事実上多神教にきわめて近づいている(26)。

したがって、フロイトが見出すユダヤ教の特徴とは、宗教の起源に内在するトーテミズム的モメント、すなわち偶像崇拝と神強制（＝魔術）へとつながるモメントを徹底的に排除しようとする傾向である、と言うことができる。

こうしてフロイトが純化して取り出そうとする本来的一神教の特徴、すなわち偶像崇拝の禁止＝「感官的知覚蔑視」、「感覚性を超越する精神性の勝利」とは、レーニン風に言いかえれば「自然発生性への拝跪の禁止」にほかならない。すでに見たように、レーニンが主張したことは、原理の次元においては革命の大義以外のものはすべて排除されねばならぬということだった。そして、「経済主義」や「テロリズム」といった「自然発生主義」はそれらが目に見える効果を挙げることができる（したがって偶像化せられうる）、言いかえれば「感官的知覚」に対して説得力を持つものであるがゆえに、それらを原理にとって代えることは絶対的に否定されなければならなかった。

5　〈外部〉の昇華

神経症のふたつの様態

以上の考察によって得られたレーニンとフロイトの思想の共通要素は、偶像崇拝の禁止であり、それが「革命的積極性の培養」[27]（レーニン）、「精神性における進歩」[28]（フロイト）と結びついているということである。そして、彼らの一神教的発想は、革命家と労働者との、神と人との鋭い断絶を語らざるをえない。いずれにおいても、前者は後者に対して徹底的な外部性として現れるのだ。

それでは、いかにして両者（革命家と労働者、神と人）は関係を持ちうるのか。われわれはすでにその答えを知っている。それは強迫的な神経症においてである。

ここで、いま一度フロイト学説における神経症的反復のプロセスの一般理論について考察してみるならば、それが『モーセと一神教』で論じられた強迫反復とは微妙に異なるものであることがわかる。なぜなら、フロイト理論では、神経症一般において「抑圧されたものの回帰」はつねに性的欲動に密接に関わる。逆に言えば、性的欲動に関わらない神経症など存在しない。フロイトは神経症の症状の本質についてつぎのように述べる。

分析をするたびごとに、われわれは患者の性的な体験と願望とにぶつかるでしょうし、またいつも彼らの症状が同じ意図に奉仕していることを確認せざるをえないのです。その意図というのは、性的願望の充足ということです。諸症状は患者の性的願望の満足に奉仕しており、それらは実生活において彼らが手に入れることができずにいる性的満足の代理物なのです。(29)

つまり、欲動が断念されることによって「抑圧されたもの」が性的なものに固着しつづけた場合に、人は神経症を発症してしまうということだ。しかし、だからといってすべての人びとが病としての神経症の患者になってしまうわけではない。フロイトにとってはすべての人間が少なくとも潜在的には神経症患者であるが、実際には、神経症をもたらす性的欲動が別の非性的なものに向け変えられることによって、つまり神経症とは呼ばれないが神経症的なものに罹ることによって、多くの人びとは神経症を免れると考えた。このことは、最上の場合、例えばつぎのような過程として現れるとされる。

満足の欠如からくる罹患を防ごうとするこれらの過程のうちで、ある種の過程は特殊な文化的な意義を獲得しています。その過程とは、性愛の欲求が部分快感や生殖快感を得るための目標を放棄して、発生的にはその放棄された目標と関連してはいるが、それ自身もはや性的と呼ぶことのできず、むしろ社会的と呼ばなければならないような他の目標をとりあげるということなのです。われわれはこの過程を「昇華」と呼んでいます。[30]

こうしてわれわれは、神経症には大まかに分けてふたつの様態があるとフロイトが考えていた、と想定することができる。すなわち、ひとつは本来的な病気としての神経症であり、それは断念せられた欲動が性的なものに執着しつづけることによって引き起こされるものであり、もうひとつは、同じく断念せられた欲動が性的なものへの固着を離れ、より「文化的」「社会的」方向へと向け変えられたもの、いわゆる「昇華」である。

そして、多分に価値判断を含んだこのような区別が、『トーテムとタブー』において語られた起源的宗教と、『モーセと一神教』において語られた「精神性における進歩」を遂げた宗教（＝ユダヤ教）との区別に持ち込まれているのではないか、という推測は十分な妥当性を持つだろう。なぜならば、トーテミズムは「欲動断念」である一方で、まさに性的支配者として息子たちの嫉妬・羨望を一身に集めた原父の殺害、そしてそれとの和解という性的な出来事に拘りつづけるのに対し、ユダヤ教においては、タブーが神を造形することへの禁止へと集中することによって、「欲動断念」は欲動の起源（＝性的なもの）から離れ、感官によってとらえることができない神を信じるという、精神性のみによる信仰へと「昇華」されていると言いうるからである。

してみれば、フロイトの視座からすれば、宗教の起源から偶像崇拝を禁じる一神教の成立の過程はつぎのように物語ることができよう。すなわち、トーテミズムにはじまる宗教現象はすべからく集団神経症である。だが、その神経症は「精神性における進歩」によって神経症でありながらも、内的変容を遂げることができた、ということになる。

ところで、言うまでもなく、神経症は医師としてのフロイトが治療せねばならなかった当のものである。精神分析療法の根幹には、「感情転移」とフロイトが呼ぶものがある。「感情転移」による神経症治療とは、短く言ってしまえば、かつて患者の精神に神経症の原因となる心的外傷を生ぜしめた人間関係――多くの場合、幼児と父との間の関係――を、患者と分析医との間に人工的につくり出し、つまり人為的な神経症を新たにつくり出し、その感情がかつて患者に生じたものであったことを認識させ、それによって神経症が解消されるという方法である。興味深いのは、神経症を解消するものもまた神経症にほかならないということだ。これは上述の宗教の発展プロセスと論理的に同型である。

フロイトは患者の前に立つ――否、正確に言えばかの有名な寝椅子の傍らに腰掛けるのであるが――。それはモーセがユダヤの民の前に立ったのと同じようにである。彼らはともに、あまりに性的なものにとらわれている神経症を他の神経症に置き換えるのである。

だがしかし、治療においておこなわれる「感情転移」による神経症の交替が、フロイトの描く宗教発展のプロセスと同じ構造を持つからといって、それが「精神性における進歩」と同じ現象であると、はたして言いうるのであろうか。治療において実現されることは、「無意識的なものが以前に比して幾分少なくなり、意識的なものが幾分多くなるのがその結果の全部[31]」であるにすぎない。そして、そもそもこの作業の本質がリビドー――フロイトにおいてそれは必ず性的なものに関わるエネルギーである――の処理方法を調節することにある以上、これもまた性的なものでしかありえない「感情転移[32]」（＝医師に向けられた父感情転移）による神経症の人為的作製とは、「精神性における進歩」であるよりも、むしろ、神経症の発症によるそれよりももっと根源的な、性的なものそのものへの退行を意味しかねないものではないのか、という疑念は解消しえないものである。

昇華の両義性、フロイトの両義性

してみれば、「昇華」の作用もまた両義的である。そしてこのような両義性は、精神分析という思想あるいは実践がその根源において含み持っている両義性をおそらく指し示しているる。フロイトが宣言した無意識の存在は、二〇世紀初頭の世界においてスキャンダルとして受け止められた。

ところで、フロイトにおける重要な概念は、つねに対を成すような形で提起されている。例えば、「無意識／意識」、「野蛮／文化」、「エス／自我」、といった具合にである。いずれの二項構造においても、前者の根源性とその病的な出現（＝抑圧されたものの回帰）が主張され、そして後者による前者の統御とその困難性が問題になる。フロイトの思想が二〇世紀初頭の世界においてスキャンダルとして受け止められたのは、前者の存在を確信を持って断言したこと、このことに起因したと言えよう。

しかし同時に、フロイトは自らが発見したものの革命的ポテンシャルを完全に実現させる意思を欠いた保守主義者である、という批判もしばしば語られてきた。それは古くはウィルヘルム・ライヒの主張であり、後にはヘルベルト・マルクーゼのような人びとが語ったことだ。彼らの言い分では、二項における後者は抑圧的なものであり、より根源的な前者を全面的に解放することによって、人間性を解放するべきであるということになる。

だが、無意識を旗印にフロイトを「性の解放」運動の教祖に祭り上げることによってその革命的潜勢力がより十分に実現されるはずだ、という考えは根本的に誤っている。なぜなら、それはフロイトが遺したもっとも謎めいた問題を回避することを意味するからだ。フロイトが革命的理論の提唱者であり、また一九世紀ヨーロッパ的な性道徳に対してしばしば非難の声を自ら挙げたのと同時に、その実生活においては威厳に満ちたブルジョア紳士であったこと（ジャック・ラカンの皮肉に満ちた言葉で言えば「家父長的誠実」[33]の体現者）、政治的にはあくまで保守的な世界観の持ち主であったことは見過ごされてよい問題ではおそらくない。フロイトのこのようなどっちつかずのように見える態度は、彼の学説自体に含まれている両義性と無関係ではない。このことを見過ごしてフロイトに「より多くの革命」を要求する者は、二項における前項のみを特化し、したがって二項構造そのものが持っている両義性を殺ぎ落とし、結局のところフロイトの革命性の本質をとらえることができない。

そもそも、「無意識」を声高に叫びさえすればフロイトのラディカリズムを取り出しうるかのように考えることが、根本的に間違っている。なぜなら、「無意識の発見」それ自体は彼に帰せられるべき事柄ではないからだ。無意識とは単に、人間内部にありながら人間の意識からは計り知れないエネルギーのようなものであるとすれば、それはとうの昔に文学者や哲学者たちによってたびたび主張されていたことだった[34]。それはつまり、無意識そのものに革命性があるわけではないということだ。あるいは、「文化」を斥けて欲動が快感原則に思うがままに従うことのできる世界をめざすべきという主張がフロイトの本心であるなどと考えるならば――もちろんフロイトはそのようなことを一度も言わなかった――、それはフロイトをルソー主義者の亜流と見なすことになるだろう。

さらには、両義的ということで言えば、フロイトの宗教についての見解もまた、これからさらに検討するように、究極的には両義的である。『ある幻想の未来』（一九二七年）においては、宗教は基本的に「幻想」であり断念すべき幼児的な願望にすぎないとされた[35]。この見解にフロイトがとどまったとしたならば、彼の見解は、本人も認めているように、一八世紀的啓蒙主義者のそれやフォイエルバッハによる宗教批判と大差のないものとなっただろう。しかし、実際にはフロイトは、『モーセと一神教』といういわば「昇華された宗教」についてのテクストを最後に残された力を振り絞って書いたのであった。つまり、フロイトを単なる急進的な宗教廃止論者と見なすことはできないのである。

してみれば、フロイトの真の革命性が分析の俎上に挙げられるのは、急進主義と保守主義との間を揺れ動いているかに見える彼の両義性を通じてでなければならない。そして、無意識の摘出とそれを取り扱う所作という精神分析の手法の根幹においてこそ、この両義性は現れている。

レーニンにおける意識と無意識の交錯

分析家（一神教の神）は神経症患者（人）に対して、「進歩」を命ずるものとして現れるのか、それとも「退行」を促すものとして現れるのか、フロイトの方法の核心において現れるこの両義性とは対照的に、レーニンの語る革命家と労働者階級との間の同様の関係は、一義的に明瞭に描かれている。

レーニンは「『自然発生的要素』とは、本質上、意識性の萌芽形態にほかならない[36]」と言っている。そして、社会民主主義者の任務は、この無意識的なもののなかにある意識的なものを高めるということにほかならない。しかし、この一方で、この意識の高まりとは「革命的な意識の高まり」であって、そのようなものは先述したように、労働者階級の即自的な意識の外部にしか存在しえないものである。つまるところ、それは労働者階級の自然発生的な意識にとって「無意識」の領域に属するものが高まるということである。

　無意識が意識であり、意識が無意識である。こう言うと、レーニンの議論は救いがたい混乱と錯綜に陥っているかのように一見思われる。しかし、経済的領域と政治的領域の峻別という視角から議論を整理すれば、混乱した外皮は取り除かれる。すなわち、自然発生的な意識とは経済闘争において自然に労働者階級において発生する意識であり、闘争が経済闘争にとどまるならば、革命を目的とする政治的領域に進入することはなく、革命政治から見ればそれは無意識的な闘争のままである。一方で、革命的意識は労働者階級には自然には意識されえない、つまり無意識的なものである。このままでは二つの意識、すなわち「経済闘争から発生する意識」と「革命的な意識性」は永遠に出会うことができない。

　しかし、レーニンにおいて事態はそうならない。すなわち、資本制社会における搾取・抑圧が生じる場所が、当然のことながら経済的領域においてである以上、葛藤は経済過程において現れる。そして、経済闘争はこの搾取・抑圧を緩和することとしかできない。一方で、資本主義的な搾取・抑圧の本当の原因は、原理的に言えば、「労働力の商品化」（マルクス）というトラウマ的な出来事にある。そしてマルクス主義とは、この出来事によって創始された世界を覆し乗り越えるための思想と実践にほかならない。だがしかし、この原初の視角が見失われ、労働運動が労働運動にとどまることをよしとするならば、搾取・抑圧の原因に遡行するための道は絶たれ、それらは永続される。

してみれば、フロイト的に言えば、レーニンが為そうとしたことは、かつて搾取・抑圧の原因をつくり出したがそのことが忘却され、無意識的領域へと追いやられた「心的外傷」を、全面的な「暴露」「煽動」を通じて労働者階級に認識させるということにほかならなかった。そして、経済闘争が資本主義的経済闘争でしかありえない以上、この無意識を労働者が自覚するためのイデオロギーは、当然労働者の現存状態にとって外部から注入されるものとしてしか現れえない。同じく、労働者という範疇が経済的なものである以上、このイデオロギーは政治的なものでなければならない。

分析家的言説としてのレーニンのイデオロギー

こうしてレーニンの語るイデオロギーは、労働者階級に対して「抑圧されたものの回帰」として現れる。労働者階級が、日々の搾取によってすでに病的状態（＝神経症）に置かれているとすれば、それを治そうとするレーニンが語りかける言葉は、その原因に労働者階級がつきあたることを促すものであり、その原因の記憶が労働者階級にとって「抑圧されたもの」である以上、レーニンの言説は精神分析家のそれと同じ位相にある。ゆえに、それは外部からの言葉として現れ、別の形を取った一種の神経症的なものをもたらすのである。

この神経症の交替が、レーニンにとって「進歩」を一義的に表すものであったことは言うまでもない。なぜなら、それによって実現されるのは革命にほかならないからだ。そして、それはフロイトの言う「精神性における進歩」とも合致する。社会主義革命は前代未聞の出来事であり、表象不可能である以上、それへの信仰はまさに高度な「精神性」を要するのだから。

だが、このような信仰、すなわち、在来のそれなりに信ずるに足る神々を拒否することを強制し、合理的判断を捨てさせる信仰、かくも大きな犠牲を払わなければならない信仰が、一体いかにして実現されうるのであろうか。

第四章　革命の欲動、欲動の革命——レーニンとフロイト（Ⅱ）

1　欲動断念

フロイトの慧眼

『文化への不満』（一九三〇年）においてフロイトは、社会主義の理想はそれが望む結果をもたらすことは決してできない、という自らの見解をきっぱりと述べていた。

私には、共産主義体制を経済学的観点から批判するつもりはない。私有財産の廃止は有益かとか有利であるかとかを検討する資格は私には無い。しかし私にも、共産主義体制の心理的前提がなんの根拠もない幻想であることを見抜くことはできる。(37)

フロイトの考えでは、高邁な理念によって理想的な社会制度・共同体を建設するなどという目論見はまったくの絵空事にすぎない。なぜなら、フロイトにとって、人間は「死の欲動」の現れである「攻撃欲動」に深く深く捕えられた反社会的な存在以外の何者でもないからだ。ゆえに、社会主義が成功を収めうるのは、それが攻撃欲動に依拠することが多いかぎりにおいてである。

　ロシアにおいて新しい共産主義文化を建設しようという試みがブルジョアジー迫害によって心理的に支えられていることも、充分理解できる現象だ。ただちょっと心配なのは、ソヴィエトでブルジョアジーが根こそぎにされたあと果して何が起こるだろうかという点である。(38)

　いわゆる大テロルを約五年後に控えた一九三〇年の段階で、このように不気味なまでに正確な予言をなしえたことについては、まさに慧眼と言うほかない。要するに、フロイトからすれば、レーニンのやろうとしたことは「文化」的にすぎるのだ。人間はこのような「文化」に到底耐えられず、結局のところ攻撃欲動の方が勝利するであろう、というのがフロイトの見立てである。

　しかし、精神分析の始祖があくまで慎重に革命（無意識による、あるいは社会主義による）の両義性を見つめ、進歩に至る途を発見することの徹底的な困難性を自覚していたのに対し、ボリシェヴィキ革命の指導者はその進歩性をいささか無邪気に信じていたということを確認するだけで、話は終るのだろうか。今日まで再三再四語り尽くされてきた事柄、すなわち「人間性に関する見方の根底においてフロイトはペシミストであり、レーニンはオプティミストであった」ということに問題は尽きるのだろうか。

攻撃欲動を馴化する可能性

仮にフロイトが『モーセと一神教』という謎に満ちたテクストを書かなかったとしたら、われわれはこのような結論に満足すべきであるのかもしれない。だが、すでに論じたように、「精神性における進歩」をフロイトは他の彼のテクストにおいては見られないような口調でそこでは強調したのであり、しかもそれがなされたのは、まさに攻撃欲動の圧倒的勝利の確証であるかのごときナチズムが猖獗《しょうけつ》を極める最中においてのことであった。そして、『モーセと一神教』によってやがて打ち出されることになる観点から遡及的に見てみるならば、『文化への不満』においてすでに、攻撃欲動をいかにして昇華しうるかについての道筋は語られていたことがわかる。それは「罪責感」をめぐる議論においてである。もっと言えば、攻撃欲動を馴化する可能性、「文化発展」の可能性が賭けられうる唯一の途として、それは論じられていた。

われわれの攻撃欲動を無力化するため、どんな方法がとられているだろうか。それはちょっと想像もつかぬほど奇抜だが、考えてみるとごく当り前の方法である。すなわち、われわれの攻撃欲動を取りこみ、内面化する方法である。しかし実のところこれは、攻撃欲動をその発祥地へ送り返すこと、つまり自分自身へと向けることに他ならない。このようにして自我の内部に戻った攻撃欲動は、超自我の形で自我の他の部分と対立している自我の一部に取り入れられ、こんどは「良心」になって、本当なら自我自身が自分とは縁のない他人にたいして示したかったであろうのと同じ厳格さでもって、自分自身の自我にたいするのである。[39]

この件は、フロイトにおける概念配置の通常のあり方に対してドラスティックな転回を告げてはいないだろうか。[40] 先に述べたように、フロイトの典型的なスタイルにおいては、「無意識／意識」のように二つの項が対立的に置かれたうえで、前者の存在論的な優位性が説かれ、後者は前者に潜んでいる欲動によって退行させせられる危険に絶えずさらされているという具合に定義される。しかし、右の引用部においては、もともとは「攻撃欲動／文化＝良心」として対置されていた二項の構造がずらされ、ほとんど一元論的と言ってもよいような説明がなされている。なぜなら、罪責感をもたらす「文化＝良心」も、「攻撃欲動」が自己自身に向くように内面化された結果として生じたものである、と言われているからだ。フロイトのペシミスムからすれば、文化が攻撃欲動に打ち克つに違いないなどという考えは、ナイーヴな見込みなき幻想にすぎない。しかし、その文化そのものも攻撃欲動から生まれたとするならば、はたしてどうなのか。してみれば、『文化への不満』においてフロイトが攻撃欲動の破壊性に対する完全なものに近い処方箋を提示しようとしたと仮定するならば、右の方法はもっとも首尾一貫したものとして指摘しうるものである。そして、関連するつぎのような一節は、来るべき『モーセと一神教』を予告するものであろう。

イスラエルの人々は、自分たちは神の寵児だと考えていた。ところが、この偉大なる父が自分の寵児の上へつぎからつぎへと不幸を注ぎかけた時、イスラエルの人々は、神と自分たちのこの特殊な関係に疑いを差しはさむとか、神の力と正義を疑いの目で見るとかいうことはせず、預言者たちを生んで、これに自分の罪深さを責めさせ、この罪の意識をもとにして、司祭宗教の厳格きわまる戒律を作り出したのだった。[41]

ここでフロイトが言っていることは、ユダヤ教は攻撃欲動をもっとも徹底的に内面化した宗教であるということにほかなるまい。それを信奉する者たちは、攻撃欲動を他者へと振り向ける代わりに、つねに罪責感のなかにとどまろうとするのだ。しかし問題なのは、なぜ、また、いかようにしてこのような精神的態度が可能になるのか、ということだ。

「死の欲動」によって形成された宗教

キャシー・カルースは、その可能性の根拠をモーセの殺害という事件がユダヤ民族に対して持った意味、すなわちそのトラウマ性に見出している。

モーセの殺害の事実を隠蔽した後、抑圧の中からそのことが回帰する中で、ユダヤ民族は神から選ばれた者として生き延びてきた。こうするうちに、ユダヤ民族の中に、なぜ自分たちが選ばれたかを理解できないという感覚［引用者註：トラウマ的感覚］が生じてくる。一神教が形成されるのはこの時点である。ユダヤの歴史を形作る上で、一神教が果した役割は、『快感原則の彼岸』で「死の欲動」として説明されていたものの機能とほとんど同じものである。(42)

われわれが論じてきた論点、つまりモーセの宗教の定着というものが、内面化しえないものとの邂逅（＝トラウマ的衝撃）というものと関わっていることを主張しているという点において、カルースの立論は首肯しうる。しかし、強迫的に回帰してくるものがなぜ一神教でなくてはならなかったのか――しかも偶像崇拝を厳禁するという特殊な戒律を持つそれでなくてはならなかったのか――ということは、この解釈によってはまったく不明なままだ。先に見たように、ユダヤ教にとっては原父の殺害という事件は「昇華されたトラウマ」なのだと考えれば、一応首尾一貫した説明をつけることはできる。しかし、これもすでに論じたように、かような解釈は昇華の両義性を考察の外に置くことになる。さらに付け加えて言えば、仮にユダヤ人だけが特権的にトラウマを昇華する能力を持っていたのだという主張がフロイトの掛け値なしの結論であるのだとすれば、それが証明するのは何らかの真理ではなく、フロイト自身の民族的誇りの存在にすぎないだろう。

ならば、むしろこう考えるべきである。すなわち、『文化への不満』において展開された罪責感の構造を踏まえるならば、問題なのはカルースの言うような「死の欲動」と「一神教」との機能的な類似性ではなく、モーセの一神教、この極端な罪責感にとらわれた宗教はまさに「死の欲動」によって（＝それの内面化によって）形成されていることなのだ、と。

本書第三章で、われわれはユダヤ教の偶像崇拝の禁止の起源が徹底的な「欲動断念」と結びついていることを見た。しかし、より厳密に言えば、それは「欲動断念」というよりも、欲動の方向転換に基づいていると言うべきだろう。そして、この二つの言い方は矛盾したものではない。なぜなら、死の欲動（＝攻撃欲動）を自己自身に向け変えるということは、もっとも徹底的な仕方で「欲動断念」をおこなうことにほかならないからだ。そして、それが徹底的な方法だと言いうるのは、欲動を単に抑制する——フロイトの見方からすれば、所詮抑制によって問題が根本的に解決されるはずがない——のではなく、ある意味ではそれを存分に働かせることでもあるからだ。正確に言えば、攻撃欲動を自己に向けて存分に働かせた結果として、「欲動断念」が得られるというわけだ。

レーニンにおける「欲動断念」

当然と言えば当然のことにすぎないが、このような徹底的な「欲動断念」を語る際に、フロイトの言葉の内容はレーニンのそれにきわめて似通ってくる。先に引用したユダヤ教における峻厳な罪責感への言及の直後の部分で、フロイトはつぎのように書いている。

未開人がこれとはまったく違った反応をしめすことは注目していい事実だ。すなわち、未開人たちは不運に出あうと、それを自分たちの罪にはせず、明らかに責任を怠った呪物のせいにし、自分たちに懲罰を加えるかわりに、この呪物を打ち据えるのである。[43]

レーニンの議論に置き換えて言えば、フロイトの言う「未開人」とは自然発生性へと拝跪する者を指すことになるだろう。すなわち、彼らは革命運動が思惑通りに進行しない場合、その原因を時には革命的理論に帰すことによって経済主義・組合主義に傾斜し、また時には大衆の不活発さに帰すことによってテロリズムへと走る。[44]こうした現象が生じるのは、彼らにおいて「運動の自然発生性」にしろ「理論」にしろ、それらすべてが拝跪の対象であり「呪物」にすぎないからである。呪物が拝跪されるのは、もちろんそれが「強制」に対して従順であるかぎりにおいてである。ゆえに、運動の行き詰まりが明らかになったときには、最大の呪物である「革命」そのものが「打ち据え」られるべきものとなる。

これとは対照的に、本書第二章ですでに見たように、レーニンにおいて革命は、その成就が個人の意志と切り離されたものとして把握されていた。つまり、それは人間の意志による「強制」の対象とはなりえない。だからこそ、レーニンの革命論は呪物を持つことを禁止せずにはおかない。それゆえに、彼は『何をなすべきか？』を書くことによって「偶像崇拝の禁止」の教えを喧伝し、言いかえれば、革命運動に関して語られる「運動の自然発生性」や「理論」といった言葉が拝跪・崇拝の対象であってはならないことを宣し、かの「預言者たち」のように、自らをも含むロシアの社会主義者たちの活動の立ち遅れ＝罪深さを責めたのであった。

かくして、レーニンにおける「欲動断念」の具体的内容とは、「自然史的過程」によって生起する社会主義革命による資本主義社会の全面的な転覆というマルクスが遺した教義以外のところに根本的真理を求めてはならない、ということに存することが明らかになる。そもそも言うまでもなく、マルクスもエンゲルスも持続性のある体制をつくり出すような社会主義革命に生前立ち会うことはできなかったし、ロシア革命に至るまでそれは起きなかった。要するに、マルクス自身をも含む革命家たちは皆「不運」に出会ってきたのである。いわゆる「修正主義」はこの「不運」によって喚起されたものにほかならない。革命がその生起を強制できるものであり、ゆえに革命の教義がその前に拝跪すべき呪物であるならば、それはこのような「不運」を前にして無力であり、したがって打ち据えられるべきである。修正主義という考え方の根底にあるのは、このような物の見方にほかならない。

ベルンシュタインもまた、『社会主義の諸前提と社会民主主義の任務』（一八九九年）によって、「正統派」がマルクスによる革命の教義を呪物化していることに対して、鮮やかな筆鋒を駆使した批判を加えている。この批判は、理論や現実の動向を現に呪物化している人びとに向けられたものとしては、たしかに妥当なものではある。このようにして修正主義は最大の呪物としての革命を追放するわけだが、しかし結局のところこの新しい教義は、大きな呪物を否定して小さな呪物（＝御利益《ごりやく》）以外のものはこの世に存在しないということを主張しているにすぎない。つまり、呪物から出発する思考は、さまざまな意匠をまとったところでついには呪物の呪縛の圏内にとどまるほかない。してみれば、修正主義に対するレーニンの反論は、修正主義が、あるいは修正主義に殺到した人びとの思考が根源的に孕み持っている理論的なものとの呪物崇拝的な関係の論理を言い当てたものであった。

2　〈死の欲動〉による革命

「不安」感情の源泉

フロイトが描くユダヤ教において、徹底的な欲動断念が偶像崇拝を禁じる一神教として現れざるをえなかった理由は何なのか。この問いに答えるためにわれわれが見出した手がかりは、それが「死の欲動」の内面化という機制に関わるということであった。

ところで、フロイトは罪責感の源泉を成す「不安」の感情について、二つの源泉を措定している。[45]すなわち、「優位に立つ他者に対する不安」と「超自我（＝良心）に対する不安」である。前者はその起源を、幼児の親に対する感情、つまり親からの保護を失うことに対して幼児が感じる「寄る辺のなさ」に持っているとされる。そして後者は、前者から促された「欲動断念」がなし終えられる（つまり、幼児の成長によって他者への依存が軽減され「寄る辺のなさ」が解消される）ことによって一旦は解消された前者の感情を受け継ぐものである。だがなぜ、本来外発的なものとされる前者が解消された後に、罪責感は「超自我」という形で内面化されうるのか。この問いに対してはフロイトはかなり思弁的な解答を試みているが、その要点は「超自我の峻厳さは本来、（中略）超自我にたいする自我自身の攻撃欲動の代理[46]」であるということだ。つまり、後者の「不安」感情の源泉には「死の欲動」が横たわっているということになる。

そして、フロイトの「不安」の二つの源泉についての論理を敷衍《ふえん》して「神的なるもの」の起源を措定するとすれば、前者の「不安」は多神教的心性へとつながり、後者のそれはユダヤ教的なそれにつながっているに違いない。それはなぜか。まず、前者の「不安」は「（人が生きていくうえで依存せざるをえない他者からの）愛を失うことへの不安、つまり一種の『社会的』不安[47]」を背景にしている。このような罪の意識は真正のものではない。というのも、この「不安」の背景にあるのは超越的な善悪の基準ではなく、自分が生きて行くうえで必要不可欠な他者からの「愛を失う」わけにはいかないという功利計算にほかならないからだ。ゆえに、先に引用したフロイトの「未開人」の行動はつぎのように解釈できる。すなわち、彼らの呪物が役に立たなかったとき、呪物の方は彼らを愛していなかったことが明らかになったのであり、それゆえにもはやその呪物は無用の長物であり、むしろ空しい期待を抱かせた憎むべきものとして打ち毀されるのだ、と。先述したように、これらの呪物は、それがいかに高い敬意を払われていようとも、いわゆる「御利益」をもたらしてくれるものとして崇拝・強制されているにすぎない。そして、このような世界においては、さまざまな呪物が立ち代わり崇められ、そして貶められるだろう。言うまでもなく、これは先に述べた多神教的、偶像崇拝的世界の姿にほかならない。

してみれば、偶像崇拝の禁止が呪物を持つことに対する禁止であるならば、それが意味するところは、功利を超えた善悪の基準を持つべし、という当為であるはずだ。そして、功利計算というものがおこなわれる目的が自己の生命・身体等の維持にあり、したがってそれが自己愛の命ずるものだとすれば、功利計算を捨てることとはその逆を志向すること、すなわち「死」を志向すること、そして『文化への不満』における主要テーマのひとつであった「隣人愛」の実現への志向を意味することになるだろう。偶像崇拝の禁止という教えが「死の欲動」に基づく、もっと言えば、それのみに基づくものだというのは、このような意味においてである。偶像化しえない神、それは内面化された「死の欲動」が外に投射されたものだ。してみれば、フロイトの主張する「精神性における進歩」とは、「死の欲動」を内面化することをやり遂げることにほかなるまい。

われわれが論じてきたフロイトの両義性というものが、ここでも貫かれていることは明らかであろう。「死の欲動」あるいは「攻撃欲動」は「文化発展」の最大の障害であると同時に、それを実現するための最大の要因としても措定されている。

レーニン的「偶像崇拝の禁止」の起源

それでは、レーニンにおける「偶像崇拝の禁止」の教義は一体何に発しているのだろうか。われわれが前章で確認したように、自らの出自がいわゆる被抑圧者階級ではないことをいっさい気に掛けなかったレーニンがロシアの革命思想の歴史のなかで特異な位置を占めるのは、まさにポイントとなっている「罪責感」＝「良心の疚しさ」を欠如しているという点によってであったはずだ。してみれば、レーニン的「偶像崇拝の禁止」は、フロイトの論ずる一神教とは何の共通点も持っていないかのように一見思われる。

しかし、レーニンの論理構造を追求してみれば、事実はその逆であることがわかる。一九世紀ロシアの反体制的インテリゲンツィアが伝統的に持っていた典型的な「罪責感」は、「人民の殺害」というトラウマによって形成されていた。すなわち、インテリは収奪され貧困と無教養の中に沈められている人民（ナロード）の犠牲のうえに生きており、したがってその負債を人民・民衆に返さなければならない、という感情である。この感情は、ナロードニキ主義者の思想と行動、さらには彼らの認識すらをも強力に決定づけていた。ゆえに彼らにとって、進歩は必然的であると同時に苦痛に満ちてもいることを説くマルクス主義の歴史哲学は、「『歴史の客観的法則』や、『経済学の鉄則』をひきあいにだすことによって大衆の苦痛を容認し、正当化する資本家的進歩の弁護者たちの便利な道具のひとつにほかならない(48)」、とされた。そして、重要なことには、若き日のレーニンはナロードニキ主義批判によって活動の舞台に登場したのであった。

ロシアにおいて、ナロードニキ主義的な傾向を持った思想家・活動家は数多く、また時代的にも短からざる年代にわたって存在しており、彼らの考えや政治的スタンスをすべて同一視して論じることなどは当然できないが、それでも彼らに共通しているとはっきり言いうる指標がある。それはすなわち、資本主義によって持ち込まれる生産と人間の関係、および生活さらには道徳の様式、つまり、資本主義に基づく社会構造の全般はロシアの在来の社会構造と相容れないものだ、という認識である。[49] しかし、レーニンの見立て（レーニンに先立って「ロシア・マルクス主義の父」プレハーノフの見立て）では、一九世紀末においてすでに「ロシアは資本主義の道に入った」[50]［傍点原文］。にもかかわらず、ナロードニキ主義者は件の認識を捨て去ることができないがゆえに、これを認めようとしない。レーニンの最初期の論考のひとつである『〈人民の友〉とは何か、そして彼らはどのようにして社会民主主義者と闘っているか？』において、彼はナロードニキ主義の歴史を記述した後で、つぎのように総括している。

> ナロードニキ主義のこのような発展はまったく自然で不可避的なものだった。なぜなら、その教義の基礎には、農民の経済の特殊な（共同体的）様式に関する純粋に神話的な観念があったからである。[51]

こうした「神話的な観念」の出自を、レーニンはナロードニキ主義者のプチ・ブルジョア的な階級意識に求めている。すなわち、徐々に勃興しつつある大規模工業によって圧迫されてきている小生産者は、資本主義のこれ以上の発展を望まないがために、「神話的な観念」を不合理にも抱くのであり、ナロードニキ主義のイデオロギーはその願望の表れであるというわけだ。注目すべきは、レーニンがここで階級意識の概念を導入することによって、ナロードニキ主義の「神話的な観念」を支える「無意識」に言及していることである。ナロードニキ主義者の人民への愛や献身、心遣いの表白は一見したところもっぱら道徳的意図によってのみ導かれているかのように見えるが、それは無意識の願望から決して無縁ではない、ということをレーニンはここで指摘しているのである。

つまり、レーニンの見るところでは、ナロードニキ主義者の言説は——フロイト的な言い回しで言えば——無意識の力によって引きずり回されている。すなわちそれは、それ自身が神経症的な言説であり、ゆえに「労働力の商品化」というプロレタリア階級そのものをつくり出したトラウマ的出来事に遡行して抑圧の原因を取り去る能力を持ちえない。したがって、それはこの世界の内部の論理をなぞる言説であるほかないのである。

そしてわれわれは、ナロードニキ主義者において無意識がかくも強力なものとなった理由を確認しておくべきだろう。それは、すでに述べたように、レーニンには著しく欠けていたもの、すなわち「人民の殺害」によってインテリゲンツィアに生じたトラウマである。フロイト流に言えば、母なる大地の本来の主たるロシアの人民を犠牲にしたこと、この「原父殺し」がもたらした「罪責感」に拘りつづけること、これこそがレーニンがナロードニキ主義に見ていた否定されるべき事柄であった。そして、このように殺害された原父への愛惜にとらわれているがために、彼らは「ロシアにおける資本主義の成立」(=ナロードニキ主義が理想とする農村社会主義の可能性の最終的な消滅)という事実を認めることができない。してみれば、レーニンが初期の諸著作で否定的に検証している、ナロードニキによる「人民的工業」の称揚や、「共同体」を維持するために政府が取るべき政策の提言、「国家が立つべき道徳的および政治的見地」に関する高説等々といったものとは、原父への追憶を担保するための一種のトーテムとして呼び出されたものにほかならない。それらは、状況次第で顕揚されたり、貶められたりするさまざまな「呪物」として現れたのだった。

そして、イデオロギー闘争においてナロードニキ主義に対してマルクス主義が優勢になった後、レーニンはかつてナロードニキ主義に対して向けた批判の刃と同じものを今度は「経済主義」へと向けることとなる。『何をなすべきか？』において批判された「経済主義」のイデオロギーを生ぜしめた一因が、目に見える成果を労働者に約束せよとの要請、すなわち人民の生活の即座の向上への直接的な配慮を示すことであったということからして、それは「人民の殺害」による「罪責感」への拘泥を受け継ぐものであった。

原父殺害の昇華

いまや明らかであると思われるのは、先述したレーニンの「外側に立つ」という主張と、原父殺しとしての「人民の殺害」から発する「罪責感」と縁を切らねばならぬという主張とは、本質的にはまったく同じことを指しているということだ。キリスト教はイエスの死とそれによる「罪の贖い」という原父殺しの物語にふたたび拘泥するのに対し、ユダヤ教はモーセの殺害を隠蔽した。言いかえれば、彼らは原父殺しを否認した。それと同じように、ナロードニキや経済主義者が「人民の殺害」とそれを贖うことに拘るのに対し、レーニンはもはやそれについて語らないのだ。

この否認は、ある意味で当然のことながら、論敵のレーニンに対する道徳的憤激を呼び起こした。ナロードニキ主義者は、「マルクス主義者は（中略）『個人』に対する『軽蔑と冷酷さ』を表明している」[52]と言い、あるいは「経済主義者」[53]は、レーニンの『イスクラ』派は『生活そのもの』の要求に耳を傾けない教条主義者」だ、という批判を浴びせた。ひとことで言えば、「お前の理論は確かに磨き上げられたものかもしれないが、その理論は目に見える成果を約束しておらず、したがって人民の救済を第一義的な目的としていないではないか」、という批判を受けたのである。こういった批判に対してレーニンが耳を貸さず断固としてそれらを撥ねつけたのは、一体何によってであったのか。それは、これまで見てきたことから明らかな通り、それまでのロシアの知識人たちがやってきたこと、すなわち、人民の利害への即座の貢献を第一原理とすること、を止めることによってである。「まずはじめに人民ありき」という考えは、インテリゲンツィアと犠牲になった人民との和解をめざしている。言いかえれば、それは他者からの愛を求めることであり、密かに功利計算に基づいているトーテミズム的な次元にとどまっている。レーニンによって突破されたのは、この次元である。[54]即座に「人民あるいは労働者への奉仕」を実行することは、あくまで現存の社会体制内で奉仕することにすぎない。いかにインテリゲンツィアが道徳的高潔と善意をもって奉仕するとしても、「インテリ―一般大衆」という社会の分断状態が存在することには変わりがない。かかる奉仕をレーニンは拒否する。言いかえれば、レーニンは現在の世界の内部で被抑圧者人民を（相対的にのみ）解放しようとは夢にも思わない。だから、レーニンにおいて「人民・労働者への奉仕」というナロードニキ的モメントがそれでも残っているとすれば、それは現存する世界でおこなわれるものではなく、現存する世界とは別の世界へと彼らを導くことによってのみ実行されうるものであった。「外へ出ること」、それは現存の世界に存在するものへの愛着を断ち切らないかぎり、達成しえないものである。

こうして、レーニンがマルクス主義のイデオロギーを喧伝することによって企図したこととは、悔悟を動機とした民衆崇拝というロシアの近代知識人の精神構造を一神教的なものにつくり変えることであった。そしてそれは同時に、すでに見たように、マルクス主義の一神教化でもあった。

「死の欲動」としての資本主義の発展

それでは、レーニンにおいて何が「偶像崇拝の禁止」をもたらす「死の欲動」の内面化の機能を担っているのだろうか。もちろん、レーニンは「死の欲動」などという概念を用いて思考していたわけではない。その代わりに彼が依拠したものは、資本主義の発展運動そのものだった。言うまでもなく、資本主義はある意味で破壊的である。それは農村共同体を破壊し、搾取される労働者を生み出す。だから、資本主義が発達するということは、これらの破壊的作用が昂進することである。しかし、レーニンはこのことをまったく恐れず、資本主義の発展を否定的なものとは見なさなかった。[55] その理由はもちろん、マルクスの根本的展望、すなわち資本主義の発展は既存の社会構造を破壊するのと同時に、その墓掘人を不可避的に生み出し、それによって社会主義革命が導かれる、という展望にある。つまり、マルクス、レーニンにとって、資本主義の発展はフロイトの想定する「死の欲動」と同じ形で両義的なものである。それは、破壊的な力であるのと同時に、その攻撃性が内へと向けられるならばもっとも「文化」的なものとなる。

してみれば、レーニンにとって、社会主義革命とは、資本主義の発展運動という「死の欲動」の破壊性が反転され、資本主義の発展それ自体に向け変えられる瞬間を指すことになるだろう。

トラウマの普遍化と「死の欲動」の反転

こうして、レーニンにとってマルクス主義思想への帰依が何を意味したのかということを、ロシアの革命思想史という文脈上であらためて考えてみるならば、それはいわば、トラウマの生じる位相を置き換えることによって、それを普遍化することであったということがわかる。すなわち、再三述べたようにロシアの知識人の伝統的トラウマは「人民の殺害」への罪責感によって形成されていたのに対して、レーニンはマルクス主義を受容することによってトラウマの起源を「労働力の商品化」という事件に移動させた。

そのどちらの場合においても、犠牲になっているのは被抑圧者大衆であることには変わりがない。しかし、決定的に異なるのは、トラウマを乗り越えるべき主体は誰かということである。すなわち、伝統的トラウマにおいては、トラウマを抱えそれを乗り越えて倫理的な主体とならなければならない存在であるのは、あくまで知識人たちである。つまり、主体化という問題として見た場合、どこまで行っても問題は知識人の圏内にとどまっており、そこから出ることはない。これに対し、マルクス主義の理論においては、トラウマを抱えることになるのは、第一義的には資本主義の発展によって労働力商品と化したプロレタリアである。つまり、ここにおいてはじめて、トラウマの克服とそれによる主体形成という問題は、知識人階級だけの問題にとどまらない全人民的普遍的な問題として提起されるのである。

レーニンが初期の著作においてナロードニキ主義批判を展開したとき、彼は批判対象を単に否定したのではなかった。正確に言えば、ナロードニキ主義がロシアの近代思想・革命運動の形成において果たした重大な役割を積極的に評価しつつも、その根本教義が現に資本主義的発展の途に入ったロシアの現状にはもはやそぐわないものとなった、という主張をしたのであった。つまりそれは、資本主義的発展の不可逆的な開始と同時に、「悔悟する知識人」に限定された思想・運動は無効なものとなったということを意味する。それがいまや無効なのは、資本主義の浸透がトラウマの克服を全人民的問題とするからである。してみれば、レーニンにとって、社会が資本主義的発展の軌道に入ることの進歩性の究極的な根拠とは、それによって知識人に限定されていたトラウマが全人民へと普遍化され、したがって歴史的主体性を獲得するべき主体が知識人にとどまらず、全人民へと拡大されたということに存する、と言えよう。

このようにして、資本主義の発展によって全人民が歴史の形成に参与することになってはじめて、客観的必然性を持った現実的なものとしての革命が世界の有り様を規定するようになる。すなわち、「革命の現実性」が世界に充満しはじめる。ゆえにこそ、レーニンの『何をなすべきか？』が提起する「新しいタイプの党」は、「暴露」「煽動」によって大衆の「革命的積極性の培養」をめざし、また労働者階級から「職業革命家」を多数引き入れるべきものとして提起された。それは実に、大衆をして資本主義の発展という「死の欲動」の反転へと向かわしめることを、企図したものであった。

〈外部〉の思想

トラウマの普遍化とは、当然神経症の普遍化でもある。資本主義の社会への浸透が進むということが意味するのは、このことである。そしてわれわれが見てきたように、レーニンにおいて神経症からの恢復の手立ては、ロシアの社会主義思想・マルクス主義思想を一神教的なものへと練り上げること（それはレーニン自身がしばしば強調したように、マルクスの本来の発想への復帰でもある）において、見出された。

この「恢復」は、望ましいものとして設定された「人間的本質＝本来性」を人間が取り戻すということではない。仮にレーニンがそのような疎外論的な発想にとどまっていたならば、一種の復古的側面を持っているナロードニキ主義の立場[56]を彼は否定することはできなかったであろうし、また労働者階級の（資本主義的生産における）「本来の」取り分を増やすことを求める経済主義を否定することもできなかったはずだ。これらの「恢復」は、現存の世界によって条件づけられた「本来的なもの」を獲得することをめざすものであり、その意味で高の知れたものにすぎない。

それに対し、レーニンの構想する「恢復」は、資本主義の発展という人間の望ましい「本来性」とは敵対するものに基づいている。ゆえにそれは、これらの限定された「恢復」を拒否し、トラウマをもたらした世界を完全に超出することによって可能となる、そのような「恢復」である。だからこそ、それを可能にするイデオロギーは、「外部」の思想として提示されなければならなかった。

マルクスが「包摂」という概念によって論じたように、資本主義は、この世界に現存するものすべてを己の内部に取り込んでいくという強い傾向を持つ。その意味で、資本主義は「普遍的」である。してみれば、レーニンの要求した革命によって開示される外部とは、この「普遍性」を超える普遍性の提示にほかならなかった。それに対し、修正主義者たちはマルクス主義から革命を取り除こうとしたが、それは資本主義の「普遍性」を超える普遍性を提示することを実質的に諦めるということを意味していた。そして今日、ベルンシュタインがかつて主張した事柄は、世界中のほとんどすべての社会民主主義政党やリベラル左派の政治思想における実質的な根本思想となっている。あたかも、この思想を乗り越える思想など存在しえないかのように。

だが、フロイトの言ったことにしたがえば、一神教のメッセージは、強迫的に——つまり、われわれの意識的な意思に関わることなく——、「快感原則の彼岸」において、覚醒させられてしまうものである。それはつまり、「死の欲動」の反転が開始する瞬間がたしかに存在するということだ。はたしてそれはいかなる事態であるのか。それはやがて、『国家と革命』という特異なテクストに余すところなく刻み込まれることになるだろう。

第三部　『国家と革命』をめぐって

第五章 〈力〉の経路——『国家と革命』の一元論的読解（I）

1 国家の存立構造

〈力〉の経路——読解の公準と方法

この第三部の目標は、『国家と革命——マルクス主義の国家学説と革命におけるプロレタリアートの諸任務』を精緻に読解することである。さて、この読解作業においては、われわれがこれまでに論じてきたことに基づき、いくつかの読解の公準が立てられ、それが守られなければならないだろう。

われわれの大前提は、このテクストが単なる理論書でもなく戦略の書でもない実に異様なテクストであるということを認め、この異様さを決して合理化しないことである。このテクストを例えば「ユートピア的」という言葉によって合理化する試みはまったく説得力を持ちえないということを、われわれはすでに確認した。このテクストの法外さが法外なものとして保たれたまま腑分けされないかぎり、このテクストについて何かを述べたことにはならないのである。

そして、このテクストは何らかの〈力〉の生成を語るものであるということが、指摘されなければならない。ロシア語で сила（シーラ）という〈力〉(power) を意味する言葉は、この書物のなかで幾度も用いられ、キーワードとなっている。ゆえに、この概念が本書中でどのように展開するのかをテクストに即して追求することによって、このテクストの内容を闡明《せんめい》することが試みられる。

すでに論じたように、レーニンの言説におけるもっとも核心的な部分は、「革命の現実性」という思考法であり、この現実性を具体的に担保・実現するものがこの〈力〉にほかならないが、それがいかにしてなされているかということが明らかにされねばならない。そして、本書第二章において見たように、この〈力〉は一元論的に措定されているということが、レーニンの言説における際立った特徴である。したがって、『国家と革命』は徹頭徹尾一元論的に読解されなければならない。

かくして第三部で実行されるのは、革命の絶頂において、はたして〈力〉がいかように展開し、それがどのような事態を生ぜしめるのかを、以上の公準にした

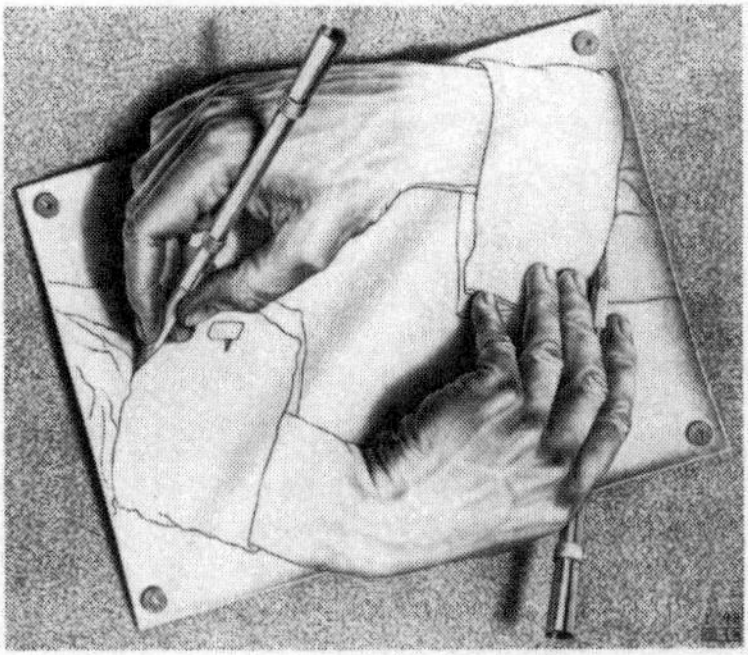

マウリッツ・エッシャー『描く手』(1948年)。「あり得ない世界」をリアルに描き出した「視覚の魔術師」、エッシャーの代表作のひとつ。この画に描かれた構造は、『国家と革命』のそれとまったく同一である。

がって追求することである。ここで採用される方法は、『国家と革命』の展開する論理構造をできるかぎり形式化しながらテクストを逐一読解していくことによって、レーニン的な〈力〉の発生源、その現象形態を見極めるという方法である。この究明によって、『国家と革命』がいかなる意味で「革命のテクスト」であるのか、そして革命をもたらす言説を駆使する者（＝レーニン）とは何者であるのか、ということが明らかにされるであろう。

『国家と革命』において「革命の現実性」の内実を構成する〈力〉がどのような状況から組成され、いかにして展開するのかを見極めるために、手始めとして、この第五章では『国家と革命』の第一章における記述を分析し、かつレーニンの言説においてはさほど明瞭には語られていない近代国家の独特な性格についての分析を付け加えることによって、レーニンの措定する一元論的〈力〉がどのような社会構造から生じるものであるのか、ということを究明する。つまり、この章において語られるのは、〈力〉の経路である。

基本的構図の提示

『国家と革命』がマルクス＝エンゲルスに依拠しつつその理論的内容として語ることは、国家がいかなる必然性によって存在し、それがどのような機能を持ち、それをいかなる手段・方法によって消滅へと導くことができるのか、また国家・階級の消滅はどのような段階を経ねばならず、それがなされた後の世界はどのようなものになるのか、といった事柄である。これらのテーマがどのような概念構造を持って、レーニンによって把握されているのかということを、テクストに基づいて整理することが必要である。まずは、『国家と革命』第一章で語られる国家と階級対立の関係の基本的な構造を、図式的に表してみよう。第一章において、基本的な図式はすべて出揃っているとみなすことができる。

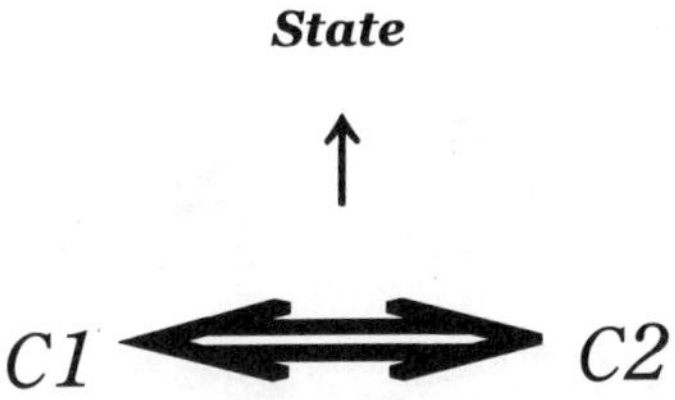

図１　ここでは、Cは階級classを表す。よって、C1は抑圧階級、C2は被抑圧階級を示す。一方向の矢印は力の析出される方向を示し、双方向の矢印は対立・抗争関係を表す。

国家＝階級対立の非和解性の産物

『国家と革命』の第一章は「階級社会と国家」と題され、その第一節は「階級対立の非和解性の産物としての国家」と題される。よく知られているように、ここでレーニンは、エンゲルスが一八八四年に発表した『家族・私有財産・国家の起源』を典拠に、「国家は、階級対立の非和解性の産物であり、その現れである」[1]［傍点原文］という重要な国家の定義を下している。

ここでのレーニンの強調点は、国家の存在理由が階級対立の非和解性と、直接にまた強固に結びつけられるということである。「国家は、階級対立が客観的に和解せられ得ないところに、またそのときに、その限りで、発生する。逆にまた、国家の存在は、階級対立が和解できないものであることを証明している」[2]［傍

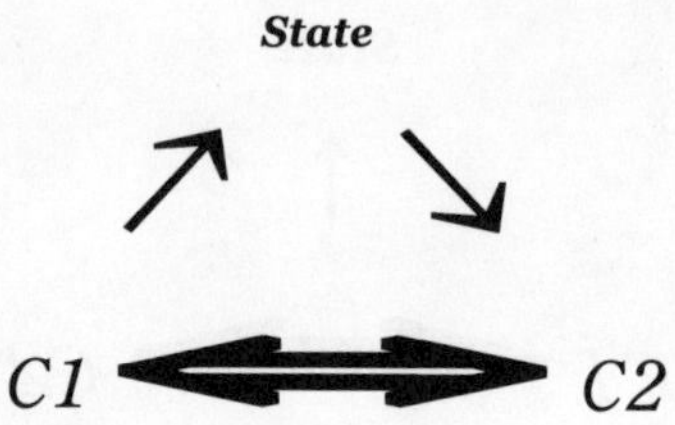

図２　双方向の矢印は対立・抗争を、一方向の矢印は影響力を表す。

点原文〕とされる。これを図式化すると図1のように表すことができるだろう。

C1とC2との間の双方向の矢印は階級対立を表し、その階級対立から上方へ向かって国家が現れる。階級対立は、国家権力の発生源である。

つぎに第一章第二節は「武装した人間の特殊な部隊、監獄その他」と題され、階級対立の非和解性によって生じた「社会の上に立ち、《自らを社会からますます外的なものとして行く》力」[3]〔傍点原文〕が、具体的にはどのような形態を取る（すなわち、武装した人間の特殊な部隊＝常備軍と警察）[4]のかということが語られる。この国家の具体的な形態は、第三節の表題に言われているように、「被抑圧階級を搾取する道具としての国家」であり、その機能は種々の暴力装置を通してC1がC2を抑え込むことであるとされる。このことは、「国家は階級対立を抑制しておく必要から生じたものであるから、またそれと同時に、これらの階級の衝突の只中で生じたものであるから、それは原則的に、最も勢力のある、経済的に支配する階級の国家である。この階級は、国家の助けを借りて政治的にも支配する階級となり、その結果として被抑圧階級を抑圧し搾取する新しい手段を獲得する」[5]という引用（この引用部分は、エンゲルスの同じく『家族・

私有財産・国家の起源』の第九章からのものである）によって証明される。

したがって、階級社会における国家と階級のあり方は、図2のように表現できるであろう。そして、図1で示されたように国家が階級対立の産物であり、そこから生まれた国家の機能は対立において経済的に被支配状態に置かれる階級を抑圧することであるとされる以上、図1は即座に図2を表さねばならず、したがって図1と図2の関係は同時的なものであると考えられる。

レーニン的国家概念への批判と反批判

ちなみに、右に述べたような国家の存立根拠をもっぱら階級闘争にのみ帰着させ、その機能を被抑圧者階級に対する抑圧に還元するレーニン流の国家の定義（さらにはレーニンによる国家の定義に原型を与えたエンゲルスの定義）は、後にマルクス主義陣営の内部からさえも多くの批判を受けるようになった。その批判とは、すなわち、国家という現象はより複雑なものであり、レーニンのような考え方では〈支配と同意〉というあらゆる政治現象において根本的基底を成すものをまったくとらえることができない、また二〇世紀の修正資本主義は先進諸国において福祉国家を程度の差こそあれ実現させたのであり、実際のところ階級対立を中和させるように国家は機能してきたではないか、といった批判である。

これら批判者たちの所見にしたがうならば、レーニンの国家概念はまったく時代遅れのものにすぎず社会科学的な価値を持たない、ということになる。

こうした批判は今日まさに実効性を失いつつあるように思われる。たしかに、国家という現象は、階級対立という要素以外の諸要素とも関わる複雑な事象である。しかしだからといって、このことが、階級闘争と抑圧（＝暴力）という要素は国家現象の第一原理ではないと断ずる理由になるわけではない。今日、新自由主義が地球全体を覆い尽くすかに見えるなかで、萱野稔人も言うように[6]、国家とは何よりもまず第一に暴力に関わる現象なのである、ということがますます顕わになってきている。

さらに言えば、自由主義社会の福祉国家は階級対立を現に調停してきたではないかというレーニン批判は、まったく的を外したものにすぎない。なぜなら、二〇世紀において自由主義陣営の諸国家が労働者階級と妥協せざるをえなかった大きな理由のひとつは、ソヴィエト連邦をはじめとする広大な社会主義圏の存在にほかならないからだ。その証拠に、社会主義陣営が崩壊した後には、福祉国家の原理や制度は程度の差はあれども世界中で大っぴらに攻撃の的とされて崩されてきたのであり、それと同時に、移民やジェンダーといった諸問題と絡み合いながら赤裸々な階級対立がいたるところで露呈してきている。

つまり、レーニン的な国家概念は時代遅れのものとして一笑に付すことのできるようなものでは決してない。むしろそれは、今日アクチュアリティをふたたび取り戻しつつある。

付け加えれば、レーニンの国家概念に大きな影響を与えているエンゲルスの『家族・私有財産・国家の起源』はマルクスの理論を過度に単純化し歪曲したものである、として多くの批判を受けてきた。後述するように、こうした批判には理がある。しかし、批判者のなかで、思想の大胆さにおいてこの書に語られた事柄を上回った者が一体どれほどいるのだろうか。文化人類学的資料に基づいて、とかくわれわれがその存在を自明視しがちな国家というものが存在しない社会が現実に存在しうることを高らかに宣言したこの書物の意義は、決して安易に貶められるべきではない。ここに語られた衝撃的思想の残響は、例えばレヴィ＝ストロースやクラストル、ドゥルーズ＝ガタリといった現代の思想家のテクストにも聞き取ることができるように思われるのである。

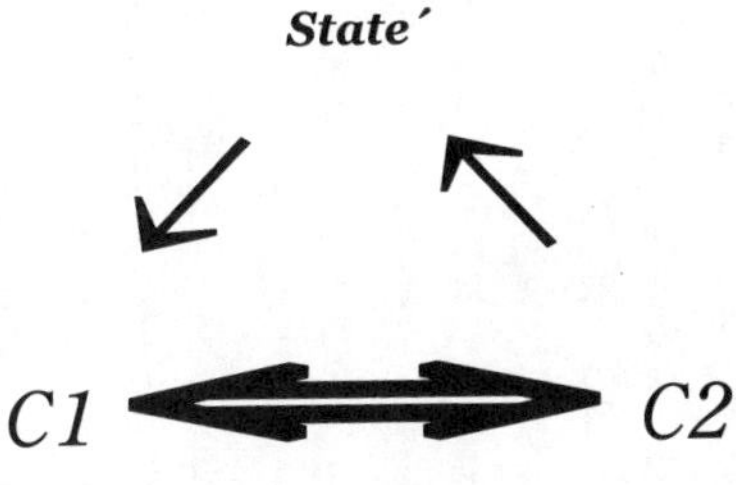

図3

プロレタリア独裁の図式

本題に戻ることにしよう。このようにして国家と、それを産んだ階級対立の構図が明らかにされた以上、第一章第四節では、この構図をいかにして破壊しうるかということが主題化（「国家の《死滅》と暴力革命」）される。その具体的方法の第一歩は暴力革命であり、「プロレタリア革命によるブルジョア国家の《廃絶》」[7]〔傍点原文〕をまず実行し、それが意味することは「ブルジョアジーがプロレタリアートを、すなわち一握りの金持ちが数百万の勤労者を《抑圧するための特殊な力》は、プロレタリアートがブルジョアジーを《抑圧するための特殊な力》（プロレタリアートの独裁）と交替しなければならない」[8]ということである。つまり暴力革命が意味するのは、図2においてブルジョアジーから発せられて国家を経由してプロレタリアートへと向けられていたベクトルを逆転することにほかならない。こうしてプロレタリアートの支配下に入った国家は、ブルジョア階級を廃絶し、かくして階級対立を終りへと導く。そうなれば、階級対立がもはや存在しない社会では、「階級対立の非和解性の産物」として存在してきた国家は、存立根拠を失うこととなり、「国家は死滅する」[9]とされる。してみれば、暴力革命後の国家および階級の構図は、図2を鏡像反転させたものとなって、図3のように表現できるだろう。これは「プロレタリア独裁の構図」と呼ぶことができる。

そして、図3に描かれた国家はもはや「半国家」「死滅しつつある国家」であるのだから、通常の国家との質的差異を示すために、ダッシュをつけておく必要があるだろう。図3に描かれる社会のなかでは、国家はC1を廃絶するのでC1とC2との間の対立は徐々に消えてゆき、したがってまた国家も消える。こうしていっさいのベクトルとその発生源は消滅するので、これらの図式がいっさい消滅してしまう世界が図3の後には想定される。

2　図式の移行における困難

図式の移行可能性の根拠

こうして見てくると、いま基本構図として展開された図1から図3まで、そして図3の段階の後方に控える「国家の死滅」への移行は、暴力革命というベクトルを反転させる瞬間を除けば、連続的な過程であるかのように見える。また、このように図式的に取り出すと、論理的に単純かつ整合的なプロセスとして現れるので、移行は連続的なイメージを与える。

しかし、このことはあくまで見かけの上でのことにすぎない。なぜなら、この図式の移行のなかの唯一の切断点である図2から図3への移行、すなわちC1から国家を経てC2へと下される力を反転させるための根拠は、図式それ自体において発見されるものではないからだ。というのも、図2においてはC2は一方的に押さえつけられており、その押さえつけられたC2が自らを押さえつける力をいかにして反転させうるのか、ということはこの図式そのものからは読み取ることができない。無論、図2の状態において、C2が暴動・一揆に類する爆発を生じさせることは大いにありうる。しかし、それらの爆発が図2から図3への移行をそのまま意味することはない。爆発は一過性のものに留まって、すなわち換言すれば革命には至らず、図2の構図が維持される場合の方が圧倒的に多いことは経験的に自明であろう。さらに言えば、散発的な爆発が内乱と呼びうるレベルまで高まり政府が打倒されさえしたとしても、そのこと自体が直接に図2から図3への移行を意味するわけでもない。というのも、ある政府を打倒することは、きわめてしばしばもうひとつの似たような政府を打ち建てるという結果を生むにとどまるためである。そのような場合では、階級構造に手がつけられることはなく、ゆえに国家の性格にも何ら変更は生じない。

『国家と革命』の理論的困難

したがって、結局のところ『国家と革命』の理論的困難は図2から図3への移行という部分に集約されており、現にこの書物の第二・三章のすべてと第四章の大部分は、この移行がいかにして可能であるかを論じることに費やされている。

そして問題は、エンゲルスからの引用部分（ここでは『家族・私有財産・国家の起源』と『反デューリング論』が用いられている）からは、この切断的転換のモメントを必ずしも引き出すことができないということである。たしかにエンゲルスからの引用部分には「社会の名において生産手段を掌握すること[10]」が、図2から図3への移行のための決定的な行為として記述されてはいる。だが、図2において一方的な被抑圧状態に置かれているC2が、いかにしてこれをおこなうことができるのか、ということは具体的に書かれてはいない。

3　近代資本制と階級

移行のための論理はどこにあるか

ここでのレーニンの階級対立に基づく国家概念は、図式的に取り出せばエンゲルスのそれにほぼ全面的に依拠している。にもかかわらず、詳細に読んでみると実は、『家族・私有財産・国家の起源』における国家概念に反して——エンゲルスはここで前近代国家と近代国家との差異を無視している、つまり奴隷的ないし封建的身分制社会を基盤とする前近代社会における国家と、形式的には人格の平等が承認されている近代資本主義社会における国家とを、等しく階級社会における国家として明らかに同一視して記述している――、レーニンの国家概念は、すぐれて近代的な国家、厳密を期して言えば、近代資本主義のもたらす社会構造に基づく国家に限定されたものであることに注意しなければならない。

ここでは、第一章のレーニンの論述のなかで、図式的テーゼの間に挟まれるようにして書かれた日和見主義批判の言葉を手掛かりに、図式の移行のなかに秘められたものを究明してみよう。先回りして言ってしまえば、いま記述してきた図式からはみ出すもののなかから、図2から図3への困難な移行を可能にする論理を発見できるのである。

現れない対立、形式的な自由

まず、図1を提供する「国家は、階級対立の非和解性の産物であり、その現れである」というテーゼの後に、ブルジョアおよびプチブル・イデオローグの「国家は諸階級を和解させる機関となった」[11]〔傍点原文〕という見解が批判されている。ここで湧いてくる疑問は、図1で示された社会的構造によって生み出された国家は、図2で表現された機能を果たす、すなわち図1と図2は本質的に同じ状態を表現しており、後者は前者に対して、いわば本質に対する現象の位置にある（図1＝本質、図2＝現象）にもかかわらず、なぜ「国家＝和解機関」説が発生するのか、あるいは言いかえれば、図1はなぜ必ずしも図2として表象されないのか、ということである。

その理由は、端的に言えば、図1・図2の基底を成している階級対立を表す双方向の矢印は、近代資本制に基づく社会においては、それ自身としては現れないからである。つまり、近代資本制がもたらす階級対立においては、C1はブルジョアジーを表し、C2はプロレタリアートを表すわけだが、この二大階級はもっとも先鋭な階級対立関係にありながらも、直接的に（＝物理的に）対立することはないということである。

わかりやすい例を考えてみよう。ストライキ権が法的に保障されていない場所で、工場労働者が待遇の改善を求めて労働を拒否し工場に立てこもったとすれば、何が起こるだろうか。この場合、その工場の所有者や資本家が労働者を弾圧するために自ら武装して工場に乗り込むということは、原則としてありえない。その代わりに工場に乗り込んでくるのは、警察官・憲兵・軍隊といった公的暴力である。それはなぜか。馬場宏二はつぎのように言っている。

もともと、ブルジョア社会では経済と政治が分離する。『資本論』が経済過程の自立性を論証しえたのもそのためであるが、その要点はいうまでもなく労働力の商品化にある。他の階級社会では、支配階級による暴力の掌握と人格的束縛が被支配階級の労働と消費生活を規制し剰余生産物の取得を可能にする。すなわち政治的支配は直接に経済的搾取の手段となるのである。ところが、ブルジョア社会では、搾取は経済過程をつうじてなしうる。（中略）工場内部では、資本家は自己の意思を労働者に強制するのだから権力者である。ただこの権力は、直接に暴力に基づくものではない。意思に従わない労働者を雇い入れなくて済むという、形式的に自由かつ平等な商品売買をつうじた、経済過程を手段とする権力である。労働者のほうも、この売買契約に従って工場内では人格的に束縛されるが、工場を離れれば自由を回復し、経済的強制を恐れさえしなければ労働力を売らなくてもすむ。[12]［傍点引用者］

たしかに資本家は工場内で労働者を強制するが、それはあくまで形式的に（すなわち法権利上）対等な人格同士による「自由な契約」の関係に基づいてのことである。どれほど巨大な資力を持つ資本家であっても、彼のなしうることのすべては、（少なくとも建前の上では）この形式的に「自由な契約」に基づいていなければならない。このことが意味するのは、自由を物理的に抑圧する暴力を資本家自身が行使することは、ア・プリオリに禁じられているということだ。だから、ストライキの例の場合のように労働者が資本家に従わないときでも、資本家自身が労働者に対して直接に暴力を振るって強制をおこなうことは、原則的にはない。[13] これが、ブルジョア社会では政治的支配が経済的支配と分離しているということの謂《い》いである。

エンゲルスの混乱とマルクス＝レーニンの認識

労働者がいかに経済的に悲惨な境遇に置かれている場合でも、労働力商品の売買はあくまで「等価交換」として現象するので、資本家と労働者との間の関係（人格に基づかない支配）は奴隷保有者と奴隷との間のそれ（人格的支配）とは異なるということを、マルクスは早くから認識していた。

彼は『資本論』に至るはるか以前につぎのように書いている。

ブルジョアジーは政治的に、すなわち国家権力によって、「所有関係における不公正を維持する」けれども、そのものをつくりだすのではない。近代的分業、近代的交換形態、競争、集中などによってひきおこされている「所有関係における不公正」は、けっしてブルジョア階級の政治的支配から生じるのではなく、反対に、ブルジョア階級の政治的支配は、ブルジョア経済学者によって必然的・永久的法則と宣告された、この近代的生産関係から生じるのである。(14)［傍点原文］

ここには近代的な支配関係と前近代的な支配関係との間の種差的な差異に対する認識が、萌芽的に現れている。ブルジョア階級は実質的な政治的支配者であるものの、この階級は人格的な支配をおこなわず（＝「所有関係における不公正」をつくり出さない）、したがって直接的な政治的支配をおこなわない、ということがここで指摘されている。

それに対して、図2の根拠となるレーニンが引用したエンゲルスの言葉、「国家は階級対立を抑制しておく必要から生じたものであるから、またそれと同時に、これらの階級の衝突の只中で生じたものであるから、それは原則的に、最も勢力のある、経済的に支配する階級の国家である。この階級は、国家の助けを借りて政治的にも支配する階級となり、その結果として被抑圧階級を抑圧し搾取する新しい手段を獲得する」は、ほとんど超歴史的な記述であり、身分的不平等に基づく前近代的国家と人格の形式的平等に基づく近代国家との決定的な差異がここで明瞭に認識されているとは思えない。近代資本制社会においては、経済的に支配する階級は政治的には支配しないのである。

エンゲルスの上述のような混乱にもかかわらず、レーニンはマルクスが指摘した近代資本主義的な生産関係を前提とする階級支配の本質（＝非人格的支配）に、明確にとは言えないとしても、少なくとも感づいてはいた、と思われる。あるいは、修正主義的言説が「国家＝階級和解機関」説を主張しはじめたとき、この問題に必然的に眼を向けざるをえなくなったであろう。そうでなければ、レーニンは図1が図2として必ずしも表象されないという事態に注意を払うことはできなかったはずだ。あるいは逆に言えば、国家は対立する階級を和解させる機関であるとする幻想の出所を突き止めることは、近代資本制に基づく国家の本質を探ることと同じなのである。では、図1がどういうわけか図2として承認されないという事実が、近代資本制の下での階級関係および国家の特質といかなる関係があるのであろうか。

4　近代資本制と国家

直接的な対立とその隠蔽

そもそも図1が成立しうるためには、C1とC2が和解不可能な形で対立していなければならない。したがって、図0の状態が、図1に対して論理的に先行しなければならない。

図0

この図は、C1とC2の直接的・物理的な対立を示す。双方の階級がそれぞれ武器を手に取って戦うことを、少なくともその可能性を意味する。しかしこの図は、近代資本制における階級社会に当てはめるならば、図0と呼ばれなければならない。なぜなら、述べてきたように、いかに彼らが対立しようとも、ブルジョアジーとプロレタリアートが直接に刃を交えることはないからである。この図が図0と呼ばれなければならないのは、これが顕在化することのない潜在的なものであるからだ。

この図0に表された対立する両力の緊張関係が高まると、図1に表されたように「社会の上に立ち、《自らを社会からますます外的なものとして行く》力」[15]としての国家が現れる。それは、図2に示されるように、C1が国家を媒介としてC2に対して一方向的に力を下すことになるが、近代資本制に基づく国家においてはまさにこのことが曖昧になる。なぜなら、

図2においても基底となる双方向の矢印が表す対立は、隠蔽されるからである。工場におけるストライキ闘争の例を考えてもわかるように、そもそもそれは資本家階級と労働者階級との経済的な対立に端を発しているにもかかわらず、そこで直接的に対峙し戦闘するのは労働者と公権力である。要するに、エンゲルスによる国家の規定、国家は「最も勢力のある、経済的に支配する階級の国家である」という規定は、近代ブルジョア社会においては必然的に隠蔽される事柄にほかならない。

もちろん、図2に示される認識はある意味で「科学的」な認識であって、それに反する労働者と公権力の対立・直接的な闘争という現象は仮象にすぎない、と言うことはできるであろう。しかし、このような仮象は本質的なものである。先鋭な階級闘争の場面において、労働者と資本家ではなく、労働者と公権力とが対立しているかのごとくに暴力が現象するのは、カント流に言えば、「ブルジョア社会の超越論的仮象」とでも呼ぶべき事柄にほかならず、理性的に思考しさえすれば斥けることができる態のものではない。

そして、これから示されるように、真理を衝いた表象としての図2が現れずに、資本制社会においてはこれが隠蔽され歪曲された形態を取るという事情に、レーニンは革命の〈力〉が生成することのできる経路を見出すことになる。C1によるC2の露骨な抑圧を表す図2が現れないということは、C1にとっての大きな強みである。だが、レーニンはまさにこのブルジョア社会の強みを逆手に取ることによって、プロレタリア革命を企てたのであると言える。

階級対立の隠蔽と暴力の国家への集中

ここに述べてきた必然的な隠蔽という事情から、国家の階級的中立性という外皮が現れ、「国家＝階級和解機関」説が生じるのである、と言えるだろう。近代資本制に基づく国家内では、C1とC2の立場は形式的に（＝法権利上）対等であり、図0に表現されるC1とC2の生の対立が表立って現れることはない。このことが何を結果するのであろうか。馬場宏二は先の引用部分につづけてつぎのように言っている。

このことの反面が、ブルジョア国家への暴力の集中である。すなわち、他の社会では支配階級が私的分散的に掌握していた暴力は、ブルジョア社会のもとでは私的暴力が契約におきかえられるに応じて国家へ公的暴力として集中され、この国家は、何よりも商品経済秩序を、さらにいえば市民法体系を外側から維持する役割を与えられる。(16)

レーニンの同時代人たるマックス・ウェーバーが、近代国家のメルクマールをまさに「ある一定の領域内部で（中略）の正当な物理的暴力行使の独占(17)」に見定めたのは、まことに慧眼であった。トマス・ホッブズがもっとも先駆的に描いてみせたように、近代国家の際立った特徴はそれが暴力を排他的・独占的に占有することにあり、このような性質を持つ国家の出現は資本主義（＝労働力の商品化）を基盤とする市民社会の成立に相即している。

近代国家における暴力の集中のプロセスは、世界中のどの地域でも一様にまったく同形に進行したのではもちろんない。例えばフランス史では、大革命の後およそ一世紀近くにわたって、幾度もの動乱と君主制の一時的復活という揺り戻しが目撃される。あるいは日本史では、近世における資本主義の発達と暴力の相対的局所化を度外視すれば、このプロセスはブルジョア革命と一応みなすことのできる明治維新から士族反乱の終結を示す西南戦争までの期間において典型的に見出されるだろう。

こうして見ると、各地域・国家によって過程はそれぞれ大いに異なるかのように思われる。しかし各地域・国家において、時により共和主義的な傾向が突出しようとも、あるいは君主主義的な傾向が突出しようとも、各過程を貫いている一般的な傾向は基本的に同一である。すなわち、そこに見て取られるべきもっとも本質的なものは、暴力の国家への一元的集中、国家暴力以外の暴力の非正統化、国家権力そのものの脱人格化（＝公権力化）、国家の法治国家化、そして他方での資本主義の著しい発展である。

このように、近代国家においては私的な暴力は公的暴力に置き換えられ、国家の一括管理下に置かれるがゆえに、図0は表面化しない図0と呼ばれねばならない。この図0の潜在性から図1は生まれる。言いかえれば、図1は図0の抑圧の結果として生じるのである。後述するように、図1が図2として必ずしも表象されないのは、この図0に対する原初的な抑圧による。

暴力の独占の必然性

こうして近代国家の顕著な特徴のひとつは、暴力が公的権力にのみ属することである。だが、ここで疑問が湧くのは、C1はC2を抑圧するために、わざわざ媒介（＝国家）を用いるのはそもそもなぜなのかということである。なぜ、自ら意のままに直接的にC1はC2を抑圧しないのか。この事態をレーニンはつぎのように表現する。

そういう組織［引用者註：住民の自主的に行動する武装組織］があり得ないのは、文明社会が、敵対する階級に、しかも和解の余地なく敵対する階級に分裂していて、これらの階級が武装し「自主的に行動する」ならば、これらの階級の間での武装闘争がもたらされたはずだからである。国家が形成され、特殊な力、武装した人間の特殊な部隊が創出される。(18)

この一節はまさに、図0に表される社会状態の存在が国家の生成に対して論理的には先行しているにもかかわらず、それが抑圧されることによって国家権力＝公的暴力が生成するという論理をとらえている。ここで語られていることは、C1とC2の直接的な武装闘争は国家の創出によって回避される、あるいは逆に言えば、武装闘争を回避するために国家が創出されるということだ。C1がもし圧倒的な力の優位を持つのならば、自らの力でC2を押さえ込んでおくことも不可能ではないだろう。しかし、そういった事態はありえず、C1とC

2の間での直接的な武装闘争は避けられており、その反面として暴力は全面的に国家に独占されている。

階級関係の再生産と国家

この現象がなぜ生じるかということは、階級関係の再生産を考慮しなければ十分には理解できない。そもそも図0の対立において、C1はC2を徹底的に攻撃することはできない。なぜなら、C1が搾取者たりえるのは被搾取者C2が存在するかぎりにおいてなのであって、C1がC2を滅ぼしてしまった場合には元も子もないからである。だから、階級間の抑圧は図0の状態を再生産できるような仕方で、すなわち抑圧に手心を加えるような仕方でおこなわれる。ここに「生かさず殺さず」という支配の鉄則が生じるわけだが、この原理自体は近代資本制誕生以降の時代に特有なものではなく、太古からある超歴史的なものだ。

これに対して、近代資本制に基づく社会の特質とは、図0における階級抑圧と階級関係の再生産を、図0の状態をそのまま再生産することによっては継続できなくなったところにある。その理由は、端的に言えば、C1とC2との対立が、近代資本制における階級対立においては和解不可能なものになったことに求められるだろう。というのも、先述したように、「労働力の商品化」以降においては、労働力に対する支配は人格的支配ではなく、賃金奴隷ではあってもあくまで身分的な奴隷ではない商品である労働力は「等価交換」される。つまり経済原理からすれば、労働力商品はあくまで「公正」に扱われている。しかし、マルクスが「剰余価値」の概念によって明るみに出したことは、この「公正」な「等価交換」の真只中において搾取がおこなわれているということであった。[19] つまり、「公正」なものがそのまま「不正」である、言ってみれば「きれいは汚い、汚いはきれい」という事態にほかならなかった。したがって、近代資本主義的な生産関係に基づく社会においては、プロレタリア階級としてのC２は、「不正」なものを「公正」なものとして受け取らざるをえなくなる以上、C２にとっては社会それ自体が全体として一個の巨大な「不正」として現れることになる。[20] ゆえに、その「公正」な「不正」の源泉であるC１との和解は、C２にとっていっさい不可能になる。

近代的な階級対立の和解不可能性

さらに、資本制社会においては、C１によるC２の搾取の度合いの厳しさは、原理的にはその限度を持たない。岩田弘はつぎのように言っている。

古代社会や中世封建社会では、直接生産者の階級からの剰余労働や剰余生産物の搾取は、支配階級の直接的な暴力に基づくものではあったが、しかし、支配階級とその従者たちの維持再生産や個人的消費――空想的および現実的な個人消費――を目的としており、そのうちに必然的な限界をもっていた。だが、これに反し、資本家階級の搾取の目的は、資本の価値増殖そのものにあるのであって、もはやこうした支配階級のたんなる維持再生産や個人的消費のための使用価値的富の獲得にあるのではない。そしてこのことは、資本家的搾取において、歴史上はじめて、剰余労働の搾取がたんなる支配階級の維持再生産のための手段から自己目的へと転化し、限度のないものになるということを意味する。[21]

つまり、資本制における階級間搾取の新しさは、その目的が搾取者階級の個人的な欲望充足や搾取者階級の再生産とは直接関わらないということである。もちろん資本家やその周辺関係者が、搾取によって手に入れた富によって自らの個人的欲望を満たすということはありうるし、現にそれはおこなわれている。しかし、世界がどれほど「消費社会」化しようともそれはあくまで副次的な現象にすぎない。資本そのものの持つ欲求は蓄積であり、したがって資本家による労働者の搾取の目的は、第一義的には資本蓄積にほかならない。個人的欲望には限度がありうるのに対し、資本蓄積には限度がない。したがって、近代資本制社会においては、C1によるC2の搾取には限界が原理的に存在しえないのである。[22]

してみれば、レーニンが「文明社会が、敵対する階級に、しかも和解の余地なく敵対する階級に分裂していて」〔傍点引用者〕という前述の言葉で語っている階級対立の和解不可能性は、資本制社会に特有なものと考えられなければならない。

このような条件下で、図0に表される対立が武装闘争として直接的に噴出した場合、論理的にはそれはこの構図を再生産することができなくなる地点まで闘われなければならず、それは社会の全般的な破局を意味することとなるだろう。したがって、図0の露呈は近代においては徹底的に抑圧されなければならない。してみれば、階級対立の非和解性の露呈という破局に対して先手を打つ形で、近代ブルジョア国家、すなわち「特殊な力、武装した人間の特殊な部隊」が立ち上がる、暴力が国家に独占される、ということをレーニンは言っている。要するに、ブルジョア社会は国家を介さなければ、自らの階級的社会構造を再生産しえないのである。

5　近代資本制社会における国家の実像

階級闘争に対立するものとしての近代国家

こうして、所謂「エンゲルスによるマルクスの単純化」の問題点が明らかになったと思われる。エンゲルスはマルクスが析出した「労働力の商品化」の含意するところ、その歴史的意味を明瞭判明にはおそらく理解していなかった。それゆえに彼は、図1に表現される社会構造を本質と取り違え、その本質からストレートに出てくるものとして図2を提示したが、図2から図3へと移行する道筋を十分な説得力をもって語ることができなかった。実際には、図1は真の本質ではない。近代資本制においては、図1に先行する本質として図0の状態が存在し、これを抑圧することによって国家が発生する（＝図1の成立）。

見てきたように、レーニンは、見かけ上エンゲルスに一言も異を唱えてはいないが、それでも近代資本制に基づく国家の特殊な性格に迫っている。あるいはもっと正確に言えば、レーニンの記述の下敷きとなっているエンゲルスの著作そのものが、資本制に基づく特殊近代的な階級対立を所与の条件としてそれを敷衍する形で前近代社会における階級対立をも理論的に規定しているために、記述の混乱を生じているのであり、国家の概念は、エンゲルスのそれもレーニンのそれもいずれも、近代資本制社会、それも純粋な資本主義を前提とする国家に適用されるものとして読まれなければならない。

そして、この国家は暴力の独占という特質を持ち、その役割は階級闘争の直接的な出現を未然に防ぐことであるから、国家は階級闘争の舞台になるのではなく、階級闘争そのものに対立することになる。それゆえ、アルチュセールは「マルクスとレーニンにとって、国家が『分離されている』というのは、強い意味で『階級闘争から分離されている』ということなのだ」[23]と言うのであり、図1が図2として必ずしも理解されない（国家が支配階級の抑圧の道具であることが理解されない）のは、近代国家の階級闘争からの表面的な、しかし本質的な解離性による。

近代資本制社会における国家の実像

それでは、図0に対する原初的な抑圧から図1が生じたために図2が現れないとすれば、代わりに近代資本制国家の図式はどのように描かれるべきなのだろうか。図1に表象される構図が国家の発生源であることは、誰もが認める[24]。しかし、図1が即座に図2を意味するこ

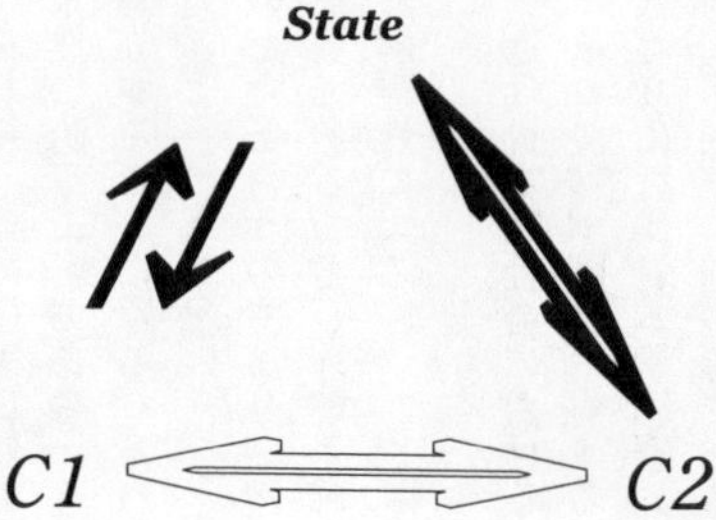

図2′

とは、必ずしも理解されない。それはなぜなら、近代資本制社会においては、図1がそもそも図0の抑圧の結果として生じたものであるので、図2の基底をなす双方向の矢印は決して顕在化せず、例えば先に挙げたストライキ弾圧の現場において現れるように、それはC2と国家との間に置換されるからである。したがって、図1は図2として現れるのではなく、実際には図2′のように現象すると考えねばならず、プロレタリア独裁への移行も図2′から図3への移行として考えられなければならない。

この図式に、ブルジョア社会の構造の強さと弱さが集約されていると言ってよい。言いかえれば、プロレタリア革命の困難と可能性とが同時に現れているということだ。

いま述べたように、この図においては、C1とC2との間の闘争的関係は、C2と国家との間に置換される。このことは、C1は実際には根源的にC2と対立関係にあるにもかかわらずC2と直接的に闘争せずともすむ、つまり階級闘争において自らの力を費消する必要がないということを意味する。C1自身の代わりに国家がその闘争を代行してくれるからである。支配階級が自ら武装することなしに支配を維持するシステムを手にしたのは、有史以来おそらくはじめてのことであろう。この巧妙な仕組みが、ブルジョア社会におけるC1の強みのひとつである。

さらに、C1にとっての決定的に重要なもうひとつの利点がこの構図にはある。ここでは、C1はもはや直接的にはC2を支配しない。なぜなら、述べてきたように、資本主義的搾取は人格的支配によってではなく経済過程を通じておこなわれるからである。したがって、C1の道具としての国家がなすべきことは、この経済過程を支える商品売買秩序——より端的に言えば私有財産（C1にとっては生産手段であり、C2にとっては労働力商品）——を、社会の全成員に対して普遍的に維持・保障することのみであり、これを実行するのが法体系とその背後に控える国家の暴力装置である。そしてこの際、法秩序は社会の全成員に対して普遍的に妥当するものとして現れるため、国家権力は特定の階級や人格と結びついて彼らの意思を代行するものではないとされる。つまり、国家権力は脱人格化される。かつてミシェル・フーコーは『監獄の誕生』において、犯罪の概念が王の身体という具体的人格に対する侵害から抽象的な秩序に対する侵害へと変容していく近代の歴史過程を描いたが、この過程は国家権力の脱人格化と相即していると言えるだろう。このようにして、ブルジョア国家は、国家暴力の人格的起源を措定することのできない、すなわち特定の人格とは無関係な（ものとされる）「法の支配」が貫徹する法治国家として、現れることとなる。このことからつぎの事柄が帰結する。

それは、軍隊・警察・官僚からなるこの行政的執行権力——この真のブルジョア国家権力——の直接の人格的担い手は必ずしも資本家であることを要しないということである。というのは、この執行権力がどのような階層によって担われようと、それが私有財産的法秩序の維持執行権力として機能しさえすれば、資本家階級は、商品経済的な価値法則を通じて階級搾取を自動的に実現することができるからであり、したがって、それが資本家諸君の階級抑圧のための組織された暴力にかわりはないからである。このことは、ぎゃくにいえば、ある国家権力がブルジョア権力であるか、いなかは、その直接の人格的担い手がブルジョアジーであるか、いなかによって定まるのではなく、それが私有財産的法秩序の維持執行権力として機能しているか、いなかによって定まるということを意味する。[25]

つまり、見かけ上誰が国家を担っているとしても、それはブルジョア国家の根本性質に対して本質的な影響を及ぼさないということだ。例えば、仮に社会主義者が国家元首を務めたり、内閣を形成したりしている場合であっても、その国家が生産手段の私有と労働力商品の売買を法的に維持・保障するかぎりでは、その国家は客観的に言って、ブルジョア国家にほかならないということである。なぜなら、そこでは経済過程を通じた搾取という資本制の根幹が守られているからだ。レーニンが、「労働者階級は、出来合いの国家機構をそのまま手に握って、自分自身の目的のために使うことはできない[26]」というマルクスの言葉に注目する必要があったのは、ひとえにブルジョア国家のこの性格ゆえである。

そして、ブルジョア国家のまさにこの性格から、その階級融和的外皮と柔軟性が生じてくる。そこにこそ、「近代国家に於ける支配関係がそれ以前の社会ほど透明にあらわれずにボカされて来るゆえんがある」[27]。というのも、C1にとっては、私有財産的法秩序が堅持されることが第一義的に肝要である以上、それ以外の事柄に関して議会等を通じてC2が政治的勢力を持つことには一向に問題がない。むしろ、C2が自らの政治的影響力を自立的に持つかのように思い込むことは、本来的な階級対立を隠蔽し、革命を回避することに役立つがゆえに、それはC1にとって好ましい場合すらある。この意味で、ブルジョア国家とは特定の階級に対立するのではなく階級対立そのものに対立するものである、と言える。

ブルジョア階級の国家への直接的依存

しかし、C1は国家を直接運営することなく自らの代理とすることができる、C1と国家はあくまで分離しているということは、上記のような利点をC1にもたらすと同時に、C1にとっての致命的な弱点を生む。というのは、C1がC1たり得るのは、C2への人格的支配は存在しない以上、端的に言えば生産手段の私的所有が法的に承認され実効的に保障されることのみによる。言いかえれば、C1の存立根拠は法的規定に置かれ、それと同時に、法を定めこれを強制的に執行する権能は、資本制社会においては国家に集中している。こうしてC1は自らの武力には立脚しない以上、自らの階級の存立根拠（すなわち、私的所有の法的根拠）を国家に直接的に依存しているということになる。つまり、Ｃ１は自らの力で自らをあらしめることができないという弱点を持つ。それゆえにＣ１は、国家が中立的な外皮を纏いながらも実質的にＣ１の代理たるように、国家に対して影響力の備給を何らかの形でおこなわなければならなくなる。ここでレーニンは、官職の買収・議会の買収・官金横領等をこの備給の例として挙げている。[28] おそらくわれわれは、ここでその内容について詳論することはできないが、アルチュセールのイデオロギーについての洞察にしたがって、諸々のイデオロギーおよびイデオロギー装置をそこに加えるべきであろう。

Ｃ１と国家を結ぶベクトルが、Ｃ１から国家への備給を表す矢印のみでなく、国家からＣ１へ対しても描かれなければならないのは、このＣ１の国家への直接的依存のためである。そして、この時期のレーニンが革命の問題を、国家権力の問題に収斂させたのは、まさにブルジョア社会における国家とＣ１との間の力の関係が相互的なものであり、ブルジョア階級はその存立の可否を直接的に国家に負うこと、そしてそこにブルジョア階級のアキレス腱があることを強く確信していたことを示すだろう。[29] 国家からＣ１に対して下されるベクトルが存在すること、これが図２′から図３へ移行しうる根拠のひとつと言えるのである。

してみれば、図２′から図３への移行の可能性は、言いかえれば革命の課題は、Ｃ２と国家との間の直接的（＝物理的）闘争において、Ｃ２がいかに国家に勝利し、またＣ１から国家への力の備給を防ぎうるのかという問題に収斂するだろう。レーニンのあの一元的な〈力〉の生成とその強靱さが問題となるのは、この場面においてである。

第六章　〈力〉の生成──『国家と革命』の一元論的読解（Ⅱ）

1　限界内の〈力〉

「特殊な力」の脆弱性

以上より、いまやレーニンが措定する〈力〉が展開する舞台としての構図の一般的布置が明らかになった。ここからは、『国家と革命』において〈力〉が具体的にいかにして生成変化を遂げるのか、そしてそれがいかにして「革命の現実性」を顕在化させることになるのかを、ここまで論じてきた構図に基づいて見極めなければならない。

レーニンの言う「特殊な力」について、革命的サンディカリストのジョルジュ・ソレルはつぎのように述べている。

この数年来、労働者を最も驚かしたと私に思えることの一つは暴動に対する公権力の臆病さであった──軍隊の出動を要求する権限をもつ行政官たちは、その権限を徹底的に行使することを敢てしない、──そして将校たちは、かつて彼らに見られなかったほどの忍耐を以て、罵られたり、打たれたりすることを甘受している。[30]

ソレルが言っているのは、要するに「公権力は弱い」ということである。すでに見たように、近代資本制に基づく社会においては公権力に暴力が集中・独占されているにもかかわらず、こういった事態がなぜ生じうるのであろうか。ロシア革命の成功のもっとも直接的な理由も、まさに公権力（この場合主に軍隊）を部分的に革命勢力へと引き入れることができたか、または彼らが中立を保ったことにある。

ところで、レーニンが公権力について記述する際に特徴的なのは、「武装した人間の《特殊な》部隊」[31]（括弧入れ原文）、「《抑圧のための特殊な力》」[32]（同）、というようにその力の「特殊さ」を強調していることである。「公」のものが「特殊」であるという矛盾的表現[33]は、単に耳目を惹きつける逆説以上のものがある。なぜなら、われわれが本書第二章において検討したように、レーニンが〈力〉について語るときには、その存在論的な充実性・強度がつねに問題になっているからだ。ソレルが語るような公権力の「臆病さ」、あるいは言いかえればその内的な脆弱さは、この「特殊さ」に淵源するのではないだろうか。それでは、なぜ公権力は脆弱さを内に孕む「特殊な」ものでしかないのだろうか。

それは、これから示すように、われわれが分析してきたブルジョア社会における国家と階級の布置から理解しうる事柄である。本章では、われわれが提示してきた図式のなかにおいていかにして革命を担う〈力〉が脆弱な力に取って代って生成するのか、ということについて考察がなされる。

「特殊な力」の被媒介性

レーニンが措定する一元論的な〈力〉とは「革命の現実性」を具体的に構成するものである。この「革命の現実性」が実際に社会革命を生ずるまでに高まる原因は、当然のことながら、階級対立の緊迫に求められなければならないであろう。すなわち、すべての図式において基底を成している両階級の間の摩擦の力が極度に高まるという事態である。してみれば、この対立の力から生ずる国家の力の強度は、階級対立の激しさに正比例することは自明であろう。このことは、階級対立が激化したときには、労働運動・社会主義運動等に対する官憲の弾圧が比例的に強力なものになるという経験的事実とも符合する。また、「革命の現実性」がこのようにして階級闘争の激しさに基づけられるということは、レーニンの措定する〈力〉のただひとつの源泉として認められるのは、階級闘争における闘争のエネルギーであることをも意味する。

さて、本書第五章で述べてきたように、C1とC2の根源的な対立は近代資本制国家においては、それ自身としては現れず、図2′に示される形でそれは国家とC2との間に置換される。C1からエネルギー備給を受けた国家の力は、具体的には主に常備軍と警察として現れ、C2と対峙する。じつにこの構造に〈力〉の経路の複雑な問題が存在し、またこの構造において革命による〈力〉の生成がつけこむ余地が見出される。というのは、本来的には国家の力の根源は、その析出される構造からして、階級対立に凝集した摩擦の力である。その一方で同時に、図2′で示される国家とC2との対立において国家がC2と闘うための力はC1から備給されたものである、と言わねばならない。つまり、その力の起源はC1であるように見える。この一見矛盾するようにも見える二つの事態はどのように解釈されるべきであろうか。

この事態を整合的に把握するためには、つぎのように考える必要があるだろう。すなわち、国家の力がどれほど高いところまで上昇するかということは、階級対立の激しさに正比例しなければならない。その一方で、図2′では国家の力は直接的にはC1から備給されている。したがって、図2′において国家が階級闘争に投ずる力は、図1から見て取れるような階級対立の摩擦力から直接に析出されたものではなく、媒介されたものであると考えねばならない。言いかえれば、たしかに図1に見られるように、国家の力として上向きに析出されるベクトルの高さは、階級対立の激しさによって一義的に決定されることは間違いがないが、しかしこうして疎外された力に備給し、それを間接的に実現しなければならないのはC1にほかならない、ということである。つまり、力の強度を決定するものとそれを実現する主体が別のものであるということだ。これが、図2′において国家がC2と闘争する力が媒介されたものである、ということの謂いである。

国家とC1との相互依存

そして、図2′において階級対立の直接的噴出は国家とC2との間で生ずるわけだが、この闘争に対して投じる力を、C1は国家を媒介すること（C1と国家の間の双方向のベクトルを想起せよ、C1から国家へは主に財力による力の補填がおこなわれ、国家からC1へは生産手段の私的所有の保障がなされる）によってのみ実現することができる。国家とC2の対決において最終的にはC2が勝利しうるということの根拠は、実にこの国家とC1との間の相互依存的な構造にある。

いま論じてきたように、資本制社会における国家の公権力の強度は、階級闘争の激しさに比例しなければならないが、その強度の実現はC1からの力の備給に依存する。一方でC1からすれば、階級闘争が激しくなればなるほど、国家析出を表す上方へのベクトルはより高く上昇せざるをえないから、この高くなった場所に力を備給することは、自らの力を大きく損耗することを意味する。それは、C1が国家に対して、自らの代理人としての役割を、私有財産の中立的な承認者という法治国家的原理を超えて果たすように要求することを意味し（具体的に言えば、所謂政官財の「癒着」「腐敗」と呼ばれるような現象をもたらす行動をC1がとらざるをえないことを意味する）、その「超えて果たす」という性格により、C1は多かれ少なかれ「法外的」手段に訴えることになる。そして、このようにして「法外的」行為が許容されることは、「中立的普遍的法を体現するもの」として確立されたブルジョア法治国家の正統性を動揺させることになる。かつ同時に、このような状態においては国家からC1へのベクトルはより鋭角に振り下ろされることになるということは、国家からC1へのベクトルがより強力なものになる、つまりC1の国家への依存は高まることを意味する。

構図の不安定性

さらに、図2′の構造を再生産することを考えると、この構図がきわめて不安定なものであることが理解される。というのは、資本蓄積の要請から搾取が激化し、階級対立が先鋭になると、それに比例して国家の位置が高くなり、そこに力を備給するC1はより多くの力を得なければならないが、C1がこれを得るにはC2からの搾取を強めるほかない。このことは階級対立の激化を必然的に引き起こすから、国家の位置はより高くなり、そこに力の備給をおこなうことはますます困難になる。したがって、C1はC2への搾取をより強める……という悪循環が生じる一方で、国家の位置は、正統性を減じつつますます上方へと昇ることになるから、国家から振り下ろされるベクトルはより長くその角度はますます鋭角的になり、つまりその強度を増し、それに比例してC1は自立性を減じることになる。あるいは、より具体的に言えば、ブルジョア階級が自らの存立の基盤を、国家による生産手段の私的所有の法的保障、および国家の暴力によるブルジョア的法秩序の維持のみに依存するその依存度は、構図の再生産によって累進的に高まるということだ。

ここに明らかになったのは、この構図の破滅的な不安定性である。なぜなら、この構図を維持することのできる限界は、C2の維持再生産が可能な範囲でC1がC2を搾取できる度合いという限界によって明らかに画されざるをえない。しかしその一方で、資本蓄積にはその限界が原理的に存在しない。したがって、C1は二律背反したふたつの命令を受け取ることになる。すなわち、彼らは一方で被搾取者階級の維持再生産のための限界内で搾取せよという命令を受けながら、その一方で資本蓄積の要請は、あらゆる限界をも踏み越えて蓄積することを命じる。したがってＣ1は、資本蓄積の要請に呼応して搾取を無制限に強化し、この構図を極大化することもできなければ、ある程度の水準に保つこともできない。構図は不安定な動揺状態に置かれるほかないのである。そもそも図1が必然的に取る形態としての図2′が出現したのは、図0がそれ自身を再生産することが不可能になったことによってであったが、図2′もまたこうしてそれ自身を再生産することの困難に突き当たることになる。

　また、なぜ公権力が結局のところ「特殊な力」に留まるのかということの理由も、いまや明らかであろう。図2′において要石の役割を果たすのは国家であるが、いま述べてきたように国家への力の備給はＣ1によっておこなわれる。そして、その備給される力の強度は、Ｃ1がＣ2を搾取できる度合いによって上限が限界づけられている。したがって、ブルジョア国家の力はこの上限の限界内にあるということになる。こうして公権力は、それがいかに強大なものに見えようとも量的な限界のなかにある、すなわち普遍的とは呼ぶことのできない力であることが証明される。

帝国主義による解決とその矛盾

　ただし、いま述べた資本制社会の構造の再生産の困難とは、一国レベルで考えられた資本主義国家、つまり多くの場合近代国民国家として現れる一国的な枠組み内での困難にすぎない。この困難は歴史上、悲劇的な形で解を与えられることになる。つまりひとことで言えば、レーニンが目撃し分析した事柄、すなわち帝国主義諸国家の出現とは、図2′に表される国家システムの再生産の困難という問題に対する応答であり、そして、それら諸国家の間での全面的衝突とは、その応答の不完全性の露呈であった。

帝国主義とは、国民国家が原則として民族共同体であり、したがって基本的には地縁的な結合に基づいているにもかかわらず、それを無際限に空間的に拡張しようとするという、そもそも途轍もない矛盾を孕んだ運動であった。それゆえ、国民国家の帝国主義国家化という現象には、国民国家の概念的否定が含まれていると言わねばならない。このような矛盾を犯してまでそれが追求されたのは、端的に言えば、一国内ではもはや有効に継続することのできなくなった資本蓄積を、国民国家を空間的に膨張させることによって継続させようとする要求のためである。ハンナ・アレントはこのことを鋭く指摘している。

> 帝国主義が成立したのは、ヨーロッパ資本主義諸国の工業化が自国の国境ぎりぎりまで拡大し、国境がそれ以上の膨張の障害となるばかりか、工業化過程全体にとって最も深刻な脅威となり得ることが明らかになったときだった。経済自体に強いられてブルジョアジーは政治化した。もし、不断の経済成長をその内在的な法則とする資本主義制度を存続させたいのならば、ブルジョアジーはこの法則を自国の政府にも押しつけ、膨張が外交政策の究極の目的であると主張するほかなかったのであった。[34]［傍点引用者］

この「ブルジョアジーの政治化」とは、われわれの図式で言えば、C1から国家への力の備給の最たるものであり、ブルジョアジーは自ら支配しない階級である以上、それはブルジョアジー自身によるブルジョア的原則の否定であると言えよう。C1による国家への力の備給の量が高まれば高まるほど国家の正統性が失われるということをわれわれは見てきたわけだが、それが帝国主義国家の段階に達すると、国民国家（＝ブルジョア法治国家）は概念的にも実質的にも否定され、その正統性はゼロへと達することとなる。それでもなお、資本蓄積が継続されるかぎりこの構図自体は再生産可能であり、再生産可能であるかぎりは維持されうる。しかし、言うまでもなく、この解決方法は矛盾をより一層爆発的なものへと先鋭化させるものにほかならない。つまり、この偽の解決は、帝国主義諸国家は無際限の膨張を欲するが一方で地表の面積は一定であるという矛盾に逢着し、世界の再分割のための戦争（第一次世界大戦）を噴出させたのであった。

付け加えて言えば、今日かつてのような帝国主義国家が姿を消したからといって、ここに語られた矛盾の本質は解決済みの問題となったわけではない。資本主義を根本原理とし、資本蓄積が至上命題である社会において、この矛盾が根本的に解決される道理はない。本書で分析して、資本主義が純粋なものになればなるほど、この矛盾は深化せざるをえない。そしされた資本主義と権力とが織り成す相互依存的な構造は、例えばマイケル・ハート＝アントニオ・ネグリが「帝国」と名づけたような新しい形への再編成を受けつつ、現在の世界をも強力に規定していると考えられるべきであろう。

図0の再生産の不可能性は、国家が成立することによってひとまず他の形態へと移行することができた。もちろんその結果成立したのが図2′であるということにほかならず、この図2′の内在的な不均衡を処理する方策として、ブルジョア国家の帝国主義国家化がなされたということである。それはつぎのことを意味するだろう。すなわち、レーニンにおいて焦眉の問題となっていたのは、図2′からの不可避的な展開として現れる他なる社会の構図を導き出すことなのだ、ということである。そこでは、「特殊な力」を質的に凌駕するより普遍的な、したがって強力でありうる〈力〉の生成が問題となるであろう。

2　限界内の〈力〉と限界なき〈力〉

二種類の〈力〉

『国家と革命』の第一章第二節にはつぎのような表現がある。

エンゲルスは、国家と呼ばれる「力」、すなわち、社会から生まれながら、社会の上に立ち、自らを社会からますます外的なものとして行く「力」の概念を展開している。この力は、主として何に存するのか？　それは監獄等を意のままにする武装した人間の特殊な部隊にある。

われわれが武装した人間の特殊な部隊について論じるのは正当である。というのは、あらゆる国家に特有な公的権力は、武装した住民、すなわち住民の「自主的に行動する武装組織」とは、「直接には一致しない」ものだからである。(35)

ここで述べられているのは、「公的権力」は「武装した人間の特殊な部隊」を表し、それは「武装した住民」およびその組織とは「一致しない」ということである。「公的」なものは「特殊性」の側へ置かれ、それは「武装した住民」すなわち「私的暴力」とは「一致しない」。してみれば、ここでレーニンは「特殊性」に対する「一般性」ないし「普遍性」を帯びる〈力〉を、まさに後者の側に見出していることが暗示されている。ただし、ここではまだこのことは明瞭に意識されておらず、ゆえに積極的に書かれてはいない。

〈力〉の交替

プロレタリアートがブルジョア国家を打ち倒す暴力革命において働く〈力〉に関する記述は同第一章第四節で与えられるが、そのもっとも端的な表現はつぎのようなものである。

国家は「抑圧のための特殊な力」である。（中略）そしてこの定義から出てくることは、ブルジョアジーがプロレタリアートを、すなわち一握りの金持ちが数百万の勤労者を「抑圧するための特殊な力」は、プロレタリアートがブルジョアジーを「抑圧するた

めの特殊な力」(プロレタリアートの独裁)と交替しなければならない、ということである。(36)

ここではまだ、「特殊な力」同士の交替が問題となっている。つまり、それは質的に同じもの同士の間での交替が問題となっていることを意味する。ここでレーニンが強調することは、この交替の過程は暴力的過程以外の何ものでもないということだ。それでは、この交替＝闘争において、プロレタリアートが勝利しうる根拠はどこにあるのか。質的に同じもの同士である力の間で戦われる闘争においては、量が事を決することになろう。そして、近代資本制社会において暴力装置は基本的に国家によって独占的に掌握されていることは、すでに見てきたとおりである。言うまでもなく、これらの条件はすべて、プロレタリアートにとって不利なものであるように思われる。レーニンは、いかにしてこの隘路《あいろ》を切り抜ける道を見つけるのであろうか。われわれが究明しなければならないのは、この道の在り処である。

パリ・コミューンと直接的な〈力〉の出現

テクストを追ってみると、ここで導入されるのが、一八四八年革命に触発されて構想されたマルクスのプロレタリア独裁の概念、そしてその概念をより明確化する契機となったパリ・コミューンに対するマルクスの言及である(『国家と革命』第二章・第三章)。

まず、第二章「国家と革命。一八四八―一八五一年の経験」の論述が主張するのは、つぎのこと、すなわち、プロレタリアートはブルジョア国家の機構を破壊し、それをプロレタリア独裁を実現する「死滅しつつある国家」と置き換え、その新たな機構はブルジョア階級を抑圧しなければならない、ということである。つまり、われわれの図式で言えば、図2ないし図2′から図3への移行の必要性を確認している。

ここでプロレタリア独裁の内実は「他の何者とも分有されない、大衆の武力に直接に立脚した権力[37]」とされ、その統一的な性質が強調される。この概念規定は、プロレタリア独裁におけるプロレタリアの権力の性格を描き出す重要な表現である。われわれは図2′の分析で、資本制社会における国家の公権力が媒介された性質を持つことを見た。それに対して、プロレタリアの権力は「直接」的であり、「他の何者とも分有されない」ほどの内的凝集力を持つとされる。

結論を先取りして言ってしまえば、このようなプロレタリア権力の性質が、公権力として現れるブルジョア権力との質的差異をなすものを暗示しており、この質的差異が「力の交替」を可能にする根拠となるのである。そして、加えて重要なことには、プロレタリア権力のこのような性質は、ほかならぬブルジョア社会の性質によってもたらされる。それはつぎのような言葉で表現されている。

ブルジョアジーの支配を打倒することは、特殊な階級——その経済的存在条件が、この打倒の準備を整えさせ、この打倒を完遂する可能性と力とをこの階級に与える——としてのプロレタリアートの側からのみ可能である。ブルジョアジーは、農民やすべての小ブルジョア層を分裂させ、ばらばらにするのと同時に、プロレタリアートを結束、統合させ、組織化する。(38)

二番目の文章のなかには二組の主語・動詞が含まれているが、ここで注目すべきは、主語はどちらにおいても共通の「ブルジョアジー」であるということだ。つまり、ブルジョアジーは自らの勢力を分裂させ「特殊的」なものにするのと同時に、強固な内的凝集力を持つ〈力〉をプロレタリアートの側に形成するということだ。

ここでふたたび、レーニンの「革命の現実性」という思考法を想起するならば、いかにこの思考法がレーニンにおいて貫徹されているか、ということを見て取ることができる。現実に彼らがそのなかで革命を起こさなければならない場所は資本制社会であり、資本制がその構造を形作っている社会である。レーニンが言っているのは、まさにこのように現存している社会構造の核心が、プロレタリアートの不可分で直接的な〈力〉を形成しつつあるということにほかならない。つまり、レーニンは「現にあるもの」についてのみ思考している。それゆえに彼は、「社会主義を導入する」、すなわち「現にないものを導入する」という言葉を厳しく斥けることになる。(39)

〈力〉の戴冠としてのプロレタリア独裁

こうして現に生成しつつある、統一的で凝集した〈力〉がいよいよ主題化される。『国家と革命』第二版に追加された第二章第三節は「一八五二年におけるマルクスの問題提起」と題され、マルクスの主張の核心を強調することに力が注がれているが、その内容は、「階級闘争を承認するだけでは、まだマルクス主義者ではない。そのような人は、ブルジョア的思考とブルジョア的政治の枠をまだ出ていないこともありうる。マルクス主義を階級闘争の学説に限定することは、マルクス主義を切り縮め、歪曲し、それをブルジョアジーにとって受け入れ可能なものに縮小してしまうことを意味する。階級闘争の承認をプロレタリアートの独裁の承認にまで拡張する人だけが、マルクス主義者である」[40]［傍点原文］という命題に集約される。『国家と革命』第二版において、この節がパリ・コミューンへの本格的分析の直前というこの場所をわざわざ選んで追加されたのは偶然ではない。パリ・コミューンによって実際に現出した「プロレタリアートの独裁」とはこの〈力〉の戴冠を意味する以上、この〈力〉を認めるか否かというところに、レーニンは「マルクス主義者の試金石」を見定めたのである。

3　〈力〉の条件

〈力〉の分断

しかし、ここで重要な問題として提起しておかなければならないのは、大量の賃金労働者を抱えた資本制社会において、プロレタリア階級の高度な内的凝集性を持った〈力〉の形成が実現されるということは実はまったく自明のことではない、ということである。このような〈力〉の凝集性は、『共産党宣言』に記されたあまりにも有名な標語、「万国のプロレタリアートよ、団結せよ！」に現れた「プロレタリアートの団結」から直接的に引き出されうる、と普通は考えられている。だが、このような思考法が正当なものであるのは、「プロレタリアートの団結」がア・プリオリに可能であるということを前提条件にするかぎりにおいてである。実際には、このような前提はまったく自明なものではない。エルネスト・ラクラウ＝シャンタル・ムフはローザ・ルクセンブルクに即してつぎのように言っている。

> 資本制社会においては、労働者階級は必然的に分断されており、その統一の再編成は、革命過程そのものを通じてしか起りえないのである。しかし、この革命的再編成の形態は、どんな機械的説明ともほとんど無関係な、ある特別のメカニズムから成り立つ。[41]［傍点引用者］

ラクラウ＝ムフはこのような「労働者階級の必然的な分断」を前提に、その「統一の再編成」の戦略を追究しており、そこでは「階級意識の外部注入」（カウツキー）や「歴史的必然性」（第二インターナショナル）「神話」（ソレル）といった概念も「統一の再編成」のための戦略的概念として再検討されている。そして彼らは、「象徴的統一[42]」としての階級の統一という戦略を担うものとして「ヘゲモニー」概念が今日の政治状況におけるもっとも有力なものとなりうるという命題を提示している。

彼らの結論が今日の政治的戦略として現実的有効性を持つか否かということはさておき、われわれが注目したいのは「資本制社会においては、労働者階級は必然的に分断されている」という洞察である。なぜなら、それは「プロレタリアートの団結の自明性」という前提に真向から反対するからである。そしてまたレーニンも、『何をなすべきか？』を繙いてみれば即座にわかるように、労働者階級の自然発生的運動が労働者階級を自動的に革命的運動へと結合することはなく、したがってそれは革命に決して直結しないという問題に取り組んでいた。つまり彼も、労働者階級がいかにして内的に統一された運動を展開することができるのか、という問題に深く関わり合っていた。

分断の必然性

まず、「労働者階級の必然的な分断」とは何を意味するのか。ラクラウ＝ムフはカウツキーに言及してつぎのように言っている。

カウツキーは、ドイツ労働者階級のなかにある強力な分断化傾向に、完全に気づいていた。労働貴族の台頭、組合化された労働者と非組合労働者との対立、さまざまな賃労働者層の間での利害の相克、労働者階級を分断しようとするブルジョアジーの意図的政策、教会のポピュリズムに従うことで、社会民主主義者と距離を置く、カトリック系労働者の大量の存在などが、その傾向の中身である。彼はまた、より直接的な物質的利害が支配的になると、労働者がより分断化する傾向が強力になるという事実、したがって純然たる労働組合活動が、労働者階級の統一も、その社会主義的決定をも保証などしないという事実を、自覚してもいた[43]。

それゆえにカウツキーは、統一の可能性をプロレタリアートの来るべき勝利の「歴史的必然性」によって担保しようとした、というのがラクラウ＝ムフの見解である。

彼らの洞察の鋭さにもかかわらず、ここで曖昧にされている事柄がひとつある。それはすなわち、右の引用に書かれたような現象として顕在化した「労働者階級の分断化傾向」とは、はたして本質的なものの直接的な現れなのか、それとも本質的なものが何らかの障害によって逸脱した非本来的な結果なのか、という問題である。言いかえれば、労働者階級はそもそも団結することのできない階級であるがゆえに必当然的に分断化するのか、それとも労働者階級は本来的には団結することができるものなのだが、組織やイデオロギーの未熟・ブルジョアジーの妨害等のさまざまな偶発的障害によって団結するのが困難であるということなのか、そのいずれであるのかが明確にされていないということだ。

団結の不可能性

端的に結論を言えば、答えは前者である。すなわち、資本制社会においては、プロレタリアートが団結することは根本的にできない。このことは資本制社会の構造から内在的に証明される。というのも、本書で再三指摘してきたように、資本制社会では政治的支配と経済的支配が分離する。そのため、法治国家として現れる政治権力は、C1に対してもC2に対しても形式的には中立な存在とされる。だから、「国家の中立性」というものはブルジョア・イデオロギーの単なる妄想ではない。なぜなら、ブルジョア法治国家は資本家階級に対しても、労働者階級に対しても、それぞれの私有財産を等しく法的に保障する――前者に対しては生産手段の私有、後者に対しては労働力商品の私有を保障する――のみであって、その意味では何ら資本家階級に対して特権を賦与しているわけではないからである。このように、国家があくまで中立的であるにもかかわらずC1がC2を搾取できるということが近代資本制の特徴であった。

つまり要点は、資本制社会においては、C1もC2もその各個の構成員たちは、各々が一個の私有財産保持者として現れるということである。では、C1およびC2はそれぞれ一階級としてとらえられるわけだが、その内的構成はいかなるものなのか。言うまでもなく、C1を構成する個々の資本家たちは、市場において自らの商品を生産・販売することによって自分の資本をできるだけ多く増殖させようと欲しており、そのため彼らは根本的な競争的関係にある。そして、このC1内部における構成員同士の競争的関係というものは、C2の内部にもそのまま当てはまると考えられねばならない。なぜなら、個々の資本家はそれぞれの生産手段という私有財産の持ち主として現れるのと同じように、個々の労働者はひとえに自らの労働力商品という私有財産の持ち主として社会構造のなかに現れるのであり、それ以外のものではないからである。

資本家たちの間で商品を生産・販売することにおいて競争が現れる、言いかえれば自らの私有財産の産物をいかに高値で販売するかという形で競争が生じる（具体的に言えば、できるかぎり多くの商品をできるかぎりの高値で売るための競争）のと同型の競争が、C2のなかでは生じないと考える理由はない。資本制社会においては、各個の人間は自らの私有財産からできるだけ多くの利益を引き出すことを行動の第一義的な目的とするのであって、この原則はブルジョア階級にもプロレタリア階級にも等しく当てはまる。原則的に言えば、両者の間の差異は、私有財産の内容が、前者にとっては自らの所有する生産手段であり、後者にとっては自らの労働力であるという点にしか存在しない。

したがって、C2の内部における個々の労働者は、自分の私有財産（＝労働力商品）をチャンスさえあればできるだけ高く売ろうと機会をつねに窺う、という状態に置かれている。労働者階級の内部におけるこの根本的な競争的関係が、まさにその「団結」を妨げると言えよう。岩田弘はつぎのように言っている。

労働者階級自身もまた、労働力商品の私的販売者としてたがいに競争関係にたち、その販売する労働力商品の種々雑多な性質や格付けに応じて、熟練工、不熟練工、機械

工、運搬工、紡績工等々の種々雑多な特殊利益集団の寄せあつめからなりたつものとしてあらわれざるをえないのである。(44)

こうして、労働者階級としてのC2は一枚岩の集団では決してない。むしろ、一枚岩ではまったくありえない集団であるほかない。岩田は労働者階級が「雑多な特殊利益集団の寄せあつめ」として現れるとしているが、「労働力の商品化」という出来事を突き詰めていくと、分断はよりラディカルなものであることがわかる。資本制社会における労働者は「雑多な特殊利益集団」である以前に、根本的に集団ではありえない。あるいは逆に言えば、彼らが団結するとしても、それはせいぜい「雑多な特殊利益集団」にしかすぎず、根源的な分断化傾向に逆らうことはできない、ということである。

〈友―敵〉関係による階級の集団形成

したがって、C1にしろC2にしろ、それが集団として形成されることが可能になるのは、C1がC2へ、C2がC1へ共通の敵を見出すことによってのみである。つまり、ブルジョアジーが彼らの共通の利害をプロレタリアートから防衛しようと結託するときと、プロレタリアートが同じく共通の利害をブルジョアジーに対して主張するときにのみ、それぞれの階級は階級として現れることができる。してみれば、〈友―敵〉の決定的峻別によって集団の自己同一性が形成されることを論じ、そこに「政治的なもの」の実存的本質をみとめたカール・シュミットが、唯物論には敵対しつつも、革命的マルクス主義における階級闘争の教義に対しては惜しみのない賞賛を送った理由はここから理解できる。彼はつぎのように言う。

世界史が階級闘争の歴史であることは、すでに古くから知られていた。実際共産党宣言の新しさはその点にあるのではない。（中略）共産党宣言の新しさと魅力は、それとは別のものである。すなわち、階級闘争を人類史上唯一最後の闘争、つまりブルジョアジーとプロレタリアートの緊張の弁証法的絶頂にまで体系的に集中した点にあるのである。多数の階級の間の対立は、一つの最後の対立に単純化される。（中略）およそ単純化ということは強度の異常なる昂進を意味する。[45]

しかし、このように〈友―敵〉関係が「人類史上唯一最後の闘争」という形でその緊張の絶頂にまで導かれたとしても、依然としてプロレタリア階級の統一形成におけるアポリアが解消されるわけではない。なぜなら、プロレタリア階級が革命的闘争をおこなわなければならない舞台が資本制社会にほかならない以上、その結束・団結は根源的に不可能事であり、それゆえ仮に〈友―敵〉関係によって強固な団結が形成されたとしても、それは不断に突き崩される可能性を内在的に抱えているものでしかありえないからである。具体的に言えば、労働者の革命的行動や要求は、資本家のわずかな譲歩や妥協、切り崩し戦略によって懐柔され、容易に革命性を失ってしまい、資本家階級を打倒するには至らないということであり、このような現象がきわめてありふれたものであることは言うまでもない。したがって、シュミット流の〈友―敵〉関係による階級の自己同一性の創出は、労働者階級の統一形成のための必要条件ではあっても、十分条件ではない。

先にも触れたように、『何をなすべきか？』を書いたレーニンが、この問題を意識していなかったはずはない。では、『国家と革命』において、彼は「プロレタリアートの団結」という困難かつ〈力〉の形成にとって決定的な問題をいかにして解決しようとしたのであろうか。

4　〈力〉の生成（I）

〈力〉の普遍性の条件

さしあたりわれわれは、『国家と革命』のテクストをひきつづき追うことによって、レーニンの描く理路を探し出すことを試みよう。プロレタリアートの〈力〉の内的凝集性を提示した第二章につづく第三章「国家と革命。一八七一年のパリ・コミューンの経験。マルクスの分析」において、〈力〉の性格はより明確な輪郭を持ちはじめ、それがなぜブルジョア国家の公権力（＝「特殊な力」）を凌駕するのか、ということが示される。

この章が追求するのは、端的に言って〈力〉が普遍性を持ちうるための条件である。第一節ではまず、プロレタリアートはブルジョア国家を奪取するに留まらず、それを打ち砕き破壊しなければならないというテーゼが確認される。そして、ここでレーニンはマルクスが珍しく持ち出した「人民革命」という言葉に注目している。彼はつぎのように言う。

現実に人民の大多数を運動に引き入れる「人民」革命は、プロレタリアートと農民をどちらも含める時にだけ、「人民」革命となることができた。両階級が当時の「人民」をまさに構成していた。両階級が統一されていたのは、「官僚的・軍事的国家機構」が彼らを抑圧・圧迫・搾取することによってである。(46)

われわれは資本制社会の構造に基づいて、階級内部での根源的分断・分裂が存在することを論じてきたわけだが、レーニンがこの引用箇所の直後で強調しているのは、中央集権的な機構を持つブルジョア国家の存在が階級支配のための機構としての性格を強めたということであり、このような国家によってC1内部での競争的な関係による統一性のなさが揚棄されているという事実が示唆されている。

見てきたように、近代資本制においては政治的支配と経済的支配が分離するから、政治的支配者が同時に被搾取者階級を経済的に「抑圧・圧迫・搾取する」わけではない。通常、「抑圧・圧迫」は政治的範疇に属し、「搾取」は経済的範疇に属する以上、この三語を並置することにはそもそも無理がある。してみれば、ここでのレーニンの記述は近代的支配と前近代的支配とを混同しているかのように一見思われる。しかし、資本制社会の構図が図2′として現れるという事実を考慮するならば、決定的な暴力的対立はC1とC2との間ではなく、国家とC2との間で発生することは明らかである。図2′は真の社会構図としての図2が現れることを覆い隠すがゆえに、ある意味で悪しき仮象であった。しかし、レーニンはこの仮象に革命の可能性を見出している。

ブルジョアジーの実質的統一とプロレタリアートの統一の困難

ここでいま一度、資本制社会における階級構造と階級内部の構造を考察してみよう。資本主義社会において、C1内部で個々の資本家同士はそれぞれ最大限の利益を上げようとしており、彼らは競争的関係にある。だが、彼らがどれほど競争の激しさに疲れきったとしても、だからといって資本家階級を廃絶すべきであるなどと普通は考えない。つまり、この一点においてブルジョアジーの意思は一致している。そして、この統一された意思を実現してくれるのが、生産手段の私的所有を保障する国家である。つまり、ブルジョア法治国家を維持・存続させるという一点において、C1の意思は現実的に統一されておりその意味で団結している。それゆえ、「万国のブルジョアジーよ、団結せよ!」という言葉が語られたことはないのである。誰かに呼びかけられるまでもなく、生産手段の私有の保障をおこなう国家に対する支持という結節点によって、彼らは事実としてつねにすでに結束しているからだ。

その一方で、労働者階級の統一可能性ははるかに大きな困難を孕んでいる。先述したように、個々の労働者が資本制社会のなかでめざさざるをえないのは、自らの唯一の生産的な私有財産である労働力をできるだけ高価に販売することだけである。したがって、資本家に対する個々の闘争は統一性を持ちえない。なぜならば、自らの労働力から最大限の利益を引き出すことをもっぱら意図する個々の労働者が、他の労働者の犠牲のうえに自らの取り分を増やすことを拒む理由は、資本制社会においては存在しないからである。要するに、資本制社会の内部においてあるかぎり、労働者階級が十全な統一性を得ることは根本的に不可能であるほかない。したがって、この統一を得るためには「資本制社会においては」という、この限定が取り払われなければならないのである。

限定の解除

この限定の解除というものが、具体的にいかにしておこなわれうるのかという問題に対して、レーニンはその回答を、プロレタリアによるブルジョア国家権力の粉砕・破壊に見出した。先に引用したレーニンの言葉、プロレタリアートと農民の「両階級が統一されていたのは、『官僚的・軍事的国家機構』が彼らを抑圧・圧迫・搾取することによってである」は、このうえなく厳密なものである。その要点は、プロレタリアートと農民という二大被搾取者階級の統一が、彼ら被抑圧者たちの自然発生的・内発的な団結からではなく、ブルジョアジー自身ならざる国家による彼らへの抑圧によって形成されていることにある。このことを言いかえれば、C2の統一がつくり出されるのは、被抑圧者たちの自然な性向によってではなく、またC2のブルジョアジーとの闘争によってでもなく、国家との闘争においてであるということにほかならない。

資本制社会におけるC2のC1に対する闘争は普通は経済闘争として現れるが、論じてきたように、それは結局、いかに自らの私有財産としての労働力商品を高く販売することができるかという問題に収斂するほかなく、したがってそのような闘争は必然的に改良主義的なものとなる。つまり、本書第二部でも論じたが、『何をなすべきか？』をはじめとしてレーニンがくりかえし言っているように、経済闘争からは真に革命的なモメントは出来しようがなく、したがって政治的領域に闘争の場所を転移しないかぎり、普遍的な〈力〉の凝集は不可能であるということを、彼はここでも述べているのである。そして、その政治的領域とは必然的に国家に見定められなければならない。なぜなら、すでに述べたように、国家とはまさにブルジョア階級がその現実的統一を実現しているアルキメデスの点にほかならず、そうであるがゆえに、それは被搾取者階級に対する抑圧の始原としてとらえられているからである。

無論、国家はC1の道具にすぎず、C2に対して真に敵対しているのはC1である。だからその意味では、C2がC1ではなく国家を第一の敵とみなすのは倒錯的である。しかし、資本制社会においてはC1と直接的に闘争すること（＝経済闘争）は、C2の統一をつくり出せず、ゆえに何ら革命を意味しないというのが、レーニンの洞察であった。われわれの図式に即して言えば、図2として現れるべきものが図2′として現実には現象するということが近代資本制社会の特徴であり、また錯誤をもたらす源であった。むしろ、こうして現実そのものが総体として倒錯的なのだ。レーニンがここで主張しているのは、大胆にこの錯誤へ飛び込んでゆくことによって逆説的にも真理を得るべきだ、ということなのである。

必要条件としての〈友―敵〉関係

こうしてシュミット流の〈友―敵〉関係がC1とC2の間にではなく、C2と国家の間に形成されることによってC2の統一が図られる。だが、このような形での統一の形成は、先に述べたように、あくまで労働者階級の十全な統一の形成のための必要条件であって、十分条件では決してない。

5　〈力〉の生成（Ⅱ）

「普遍的な力」の出現

マルクス、そしてレーニンにとって、一八七一年のパリ・コミューンはわずかな期間ではあれ「プロレタリア独裁」を地上に出現させた出来事であった。言いかえれば、それは被搾取者階級によって形成される普遍的な真の〈力〉の戴冠を示した事件にほかならなかった。ゆえに、パリ・コミューンにおけるもっとも核心的な事柄について書かれたつぎに引用される第三章第二節の一節は、『国家と革命』において「革命とは何か」ということをもっとも端的に語るきわめて重要な箇所であり、理論的側面から言えば、このテクストのひとつの絶頂を成していると考えられる。レーニンは、マルクスが『フランスにおける内乱』で挙げたパリ・コミューンの二つの特長、すなわち常備軍の廃止とそれの武装した人民への置き換え、およびコミューン議員と官吏の選挙制と解任制とに言及した後、つぎのように言う。

こうしてコミューンは、破壊された国家機構を一層完全な民主主義と取り替えたに「すぎない」、すなわち、常備軍の廃止とすべての公務員の完全な選挙制と解任制が導入されたに「すぎない」かのようである。しかし、実際にはこの「すぎない」ことは、ある制度を根本的に異なる種類の制度に大々的に取り替えることを意味する。ここに見られるのは、ほかならぬ「量から質への転化」の一事例である。すなわち、民主主義は考えうる限りもっとも完全に、もっとも徹底的に遂行されると、ブルジョア民主主義からプロレタリア民主主義に転化し、国家（＝特定の階級を抑圧するための特殊な力）から、もはや本来の国家ではないあるものへと転化する。

ブルジョアジーと彼らの反抗を抑圧することは、依然として不可欠である。コミューンにとっては、このことは特に不可欠であった。そして、コミューンの敗北の原因のひとつは、これを十分に断固としておこなわなかったことにある。だが、ここでは抑圧の機関はいまや住民の大多数であって、奴隷制のもとで、農奴制のもとで、賃金奴隷制のもとでつねにそうであったように、少数者が抑圧するのではない。そして、ひと度人民の大多数が自身の迫害者を自ら抑圧するならば、抑圧のための「特殊な力」は**もはや不**

> **必要である！** この意味で国家は死滅し始める。特権的少数者の特殊な制度（特権的な官吏、常備軍首脳部）に代わって、多数者自身が直接にこれを務めることができる。そして、国家権力の諸機能の遂行それ自体が、全人民的なものになればなるほど、国家権力の必要性はますます小さくなる。[47]〔傍点強調原文〕

ここにおいて、「特殊な力」を凌駕する「普遍的な力」がついに明瞭な言葉で語られている。「本来の国家ではないあるもの」とは、本来の国家が多数者を抑圧する「特殊な力」である以上、それは「普遍的な力」でしかありえない。それゆえに、ここでレーニンは「量から質への転化」を語っているのである。コミューンの〈力〉は、この「普遍的な力」をその内実としているがゆえに、「《特殊な力》はもはや不必要である」と言うことができるのであり、より正確な言い方をすれば、もはやその〈力〉は「特殊な力」とは質的に異なるものである以上、「特殊な力」が存在することはいまや「不必要」というよりもむしろ「不可能」なのである。「普遍的な力」がひと度立ち上がった以上、「特殊な力」はもはや存在することはできないということを証明するために、革命後には内戦が戦われなければならなかった。

暴力の沈黙

だが、この一節は右に要約した内容を明瞭に読み取ることができるのと同時に、きわめて謎めいたものであり、この謎は十月革命と呼ばれる事件の不可思議さに直接連なっている。

というのは、明らかにここでレーニンは暴力革命による「力の交替」について論じており、『国家と革命』のなかで彼は、社会主義革命が絶対に暴力革命でしかありえないことをたびたび強調していた。しかし、いま引用した部分では、「力の交替」がおこなわれる瞬間における暴力に関する具体的な記述が登場していない。われわれは『国家と革命』の論述の流れを追ってきたが、この引用部分の直前では国家との闘争における被抑圧者階級の〈力〉の統一性が語られ、この引用部分ではコミューンの設立を経てこの〈力〉はすでに普遍性を帯びている。さらに言えば、コミューンの設立過程が暴力的なものであるとも言われてはいない。つまり、『国家と革命』のテクストにおいては、暴力革命の不可避性が強調されながらも、それが絶頂に達するはずの瞬間に暴力は不可解な沈黙に入っているのである。

実際のロシア革命のプロセスを検討してみるならば、暴力が荒れ狂ったのは十月革命後の干渉戦争と内戦の時代であることは、誰の目にも明らかであろう。内戦期の暴力の苛烈さとくらべると、十月革命それ自体における暴力はほとんど無に等しい。したがって、ロシア革命がその運命を決せられたのは内戦期においてであったという見解は、きわめて正当なものであると言わねばならないであろう。十月革命それ自体は、革命の全プロセスから見れば、ほとんどエピソード的なものにすぎない。しかしそれにもかかわらず、内戦はあくまで内戦であり、あの十月の蜂起が「革命」と呼ばれるのは正当なことである。それは「革命」と呼ばれる出来事の本質的な性格に関わるからである。

あたかもボリシェヴィキ革命の成り行きに対応するかのように、ここでのレーニンの記述は、「普遍的な力」の出現自体を暴力的プロセスとして描かずに、すでに登場した〈力〉がなすべきこととして「ブルジョアジーと彼らの反抗を抑圧すること」と書いて、暴力的プロセスを示唆している。ここでレーニンが用いている論理、すなわち「普遍的な力」の出現それ自体は暴力ではなく、それのなすことは暴力であるとは一体いかなることなのか。

「普遍的な力」の源泉

しかし、この一見奇妙な論理は、実際はそれほど奇異なものではない。主に国家の暴力装置に関して考えてみるならば、ここでレーニンが語っているのは「常備軍を廃止し、それを武装した人民と取り替えること」であるが、それは具体的にはいかなるプロセスであるのか。もし、「武装した人民」の内実が単に手近にある武器を手に取った労働者や農民のことを指すにすぎないとすれば、彼らが国家の完全な指揮下にある常備軍と武力衝突した場合、軍事的勝利は後者に属することは火を見るよりも明らかであろう。つまり、武装した人民が「普遍的な力」の担い手であるとしても、それは暴力によっては決して出現することができないのである。

革命における軍事的戦略について具体的に言えば、正規軍の主要な部分が中立に廻るか革命勢力の側に加担しないかぎり、その勝利は望むべくもない。そして、それが実現したのがロシア革命のプロセスであった。ケレンスキーの臨時政府が、十月のボリシェヴィキの蜂起の前になす術もなく潰え去ったもっとも具体的な理由は、当時の軍事力の指揮権が臨時政府から実質的に失われていたという事実にほかならない[48]。軍隊が国家の正規の指揮系統に従わなくなるという現象は、すでに二月革命の時点で現れつつあった[49]。

十月革命の成功は、このような軍隊の公式の指揮系統が崩壊したことの延長線上にあると言わねばならないが、注目すべきは、決定的な瞬間に、軍隊というブルジョア国家の暴力装置の最たるものがブルジョア国家の崩壊を助けるという逆説である。だが、この逆説はブルジョア国家のまさに本質的な性格から出現するものである。論じてきたように、近代資本制社会においては経済的支配と政治的支配が分離するので、そこから必然的に、経済的支配者（ブルジョアジー）と政治的支配者（政治家・官僚・軍隊等）は人格的に分離する。このことは一面で、ブルジョアジーにとっての大きな強みであった。図2′の分析でわれわれが見たように、ブルジョアジーは自ら武装することなく――つまり余計な出費をせずに――支配をおこなうことができる。そしてさらに、誰が表面的に政府を代表・運営していようとも、生産手段の私的所有が保障されているかぎり、ブルジョアジーの支配には基本的に揺るぎがない。またそこから、ブルジョア国家のきわめて柔軟な性格が出てくる。これらの事情から、多くの場合において国家権力の人格的担い手はブルジョア階級ではなくなる。ゆえに、国家権力の実体はつぎのようなものとなる。

じっさい、資本主義国家権力の人格的担い手は、労働者階級やその他の勤労人民大衆のなかから雇いいれられたり徴募されたりした一般兵士、下級警官、下級官吏の大群と、かれらに対する比較的少数の、だがおなじく賃金によって雇いいれられた上層管理者集団――将校集団や上層官吏集団――とからなりたっているのであって、これは、法治国という形態からでてくる国家権力の客観的・機構的性格に基づいている。(50)

ここで言われていることは、公権力の具体的な担い手の大部分は、本質的には「労働者階級やその他の勤労人民大衆」であるということだ。われわれは、図2′を分析する際に、ブルジョア国家として組織された「特殊な力」が被媒介的・間接的性質を帯びていることを見たが、この性質に応じて、公権力を構成する実体は、実質的な支配者階級たるブルジョアジーではなく、一般の勤労人民大衆にならざるをえない。なぜなら、論じてきたように、近代資本制社会における公権力の実体は、必然的に支配者階級そのものではない。彼らが直接に政治的支配をおこなうことは、彼ら自身の原理からして不可能である。ゆえに、具体的な統治行為を担う者は、「公」の状態にある者でなければならず、その実体を成すのは社会の大多数を占める「労働者階級やその他の勤労人民大衆」であるほかかない。

以上を踏まえれば、なぜレーニンが公権力を「特殊な力」と呼んだのかということが、いまやきわめて明瞭に理解されるであろう。つまり、国家権力の実体――すなわち、「労働者階級やその他の勤労人民大衆」――が公権力という在り方をしているときには、まさにそれは「特殊な」存在様態にあるということにほかならないのである。してみれば、「普遍的な力」が生成するということは、「特殊な」存在様態にある〈力〉が、本来の状態に移行することでしかない。

ロシア革命の勃発の要因を、第一次世界大戦下という歴史状況を抜きにして語ることはできないことは自明であるが、その成功の端的な要因は戦時下の総動員体制にある。それはすなわち、労働者および農民という大衆が、総動員体制によって兵士という「特殊な力」へと大規模に編成されていたという状況である。レーニンが「帝国主義戦争を内乱へ」というテーゼによって企てたことは、このような形で現れた「特殊な力」を徹底的に利用することであった。言いかえれば、それは、人類史上初めての総力戦によって未曾有の規模で組織された「特殊な力」を質的に転化させることによって、それを一挙に革命の原動力へと転換させてしまうことであった。

この企図が実行可能であったのは、ブルジョア法治国家の本質的性格、すなわち経済的支配者と政治的支配者が人格的に異なるという性格のためであり、再三述べてきたように、レーニンがブルジョア国家の本質的構造を利用することによってプロレタリア革命の道筋を発見したということの根拠は、まさにこの点にある。「普遍的な力」は「特殊な力」から直接に生まれるものである以上、「特殊な力」が大規模に組織されていることは、「普遍的な力」が比例的に大規模なものとなり、したがって強力なものとなることさえも意味するであろう。

〈力〉の直接性

また同時に、〈力〉のこのような質的変化は、〈力〉が直接的なものになることを意味する。図2′の分析において見たように、公権力として編成される「特殊な力」は、C1がC2を搾取することによって引き出した〈力〉を国家に媒介させることによって実現されるものであった。「特殊な力」が「普遍的な力」へと転化することは、このような被媒介的・間接的に成立した〈力〉の「間接性」が取り払われることを、言いかえれば、それが直接態となることを意味する。なぜなら、いまや統治をおこなうのは、総力戦体制によって「特殊な力」へと徴募されながらもそこから本来の状態へと離脱した「武装した人民」にほかならないからである。彼らは自らのために武装し、自らの原則によって〈力〉を行使することになる。

このようにして、図2′から図3への移行は果たされる。そして、図に示されるように、図3は図2を鏡像反転させた形をしており、図2′の鏡像反転図ではない。したがって、図2′におけるように支配階級と国家との間のベクトルは双方向のものではない。なぜなら、図3においてC2は国家を直接の〈力〉によって動かす以上、図2′におけるC1のように自らの存立根拠を国家によって承認してもらう必要がないからである。こうしてC2は、プロレタリア独裁という一種の国家状態を継続させるということからすれば、ある意味で国家に媒介されて〈力〉を振るうが、その〈力〉は「階級対立の非和解性」から直接に生じて編成されたものであって、図2′におけるように外部から備給されたものではない。それゆえに、この

〈力〉は質的には直接態として現れるのである。

そして、この「普遍的な力」による直接の統治という性格によって、国家の行政的機能の性格もまた変革される。レーニンはつぎのように語る。

> 資本家を倒し、武装した労働者の鉄腕でこれらの搾取者の反抗を粉砕し、近代国家の官僚制度を破壊する――そうすれば、われわれの前には「寄生体」が取り除かれ、高度な技術を装備した機構が現れる。それを団結した労働者自身が動かし始めることは十分に可能である。その際には、彼らは技術者、監督官、簿記係を雇い入れ、それらの人々すべての労働に対して、すべての一般の「国家」官吏に対するのと同じように、労働者なみの給料が支払われる。[51]［傍点原文］

被抑圧者「自身」が現れるということと、「特殊な力」（＝国家機構）が「普遍的な力」（＝高度な技術を装備した機構）へと転化することが、相即した事柄であることがここに見て取れよう。このような「直接的なもの」の延長線上に、もっとも単純な「郵便のように組織された[52]」政治・経済制度が描かれるのである。

〈力〉の一元性

「普遍的な力」の出現が暴力的なものではないということの理由は、いまや明らかだ。「普遍的な力」は、「特殊な力」と物理的に闘ってそれを打ち負かすことによって出現してくるのではない。それは、「特殊な力」が直接態へと質的転化を遂げたものであり、自分自身を内に呑み込み吸収することによって出現するものである以上、そこにはいかなる暴力も必要がないのである。逆に言えば、「普遍的な力」が「特殊な力」を暴力的方法によって打ち砕こうとするということは、先に述べたように、バリケードと正規の軍隊が対峙するということを必然的に意味する。そこでは「特殊な力」が勝利するほかない。それは革命の失敗しか意味しない。それに対して、十月革命が、物理的な暴力行使の量的側面から見れば小さな出来事にすぎないにもかかわらず、あくまで「革命」と呼ばれなければならないのは、そこで〈力〉の質的な変化が象徴的に生じたという、まさにこのことによるのである。

また、「レーニンの措定する〈力〉は、徹頭徹尾一元論的である」という、われわれのテーゼもここで確証されるであろう。すなわち、本書の図式による説明で明らかにしたように、社会構造のなかで〈力〉が生じてくる唯一の本質的な発生源は、「階級対立の非和解性」つまり対立する階級の相反する斥力であり、その〈力〉から国家が生じ、階級対立から生じた〈力〉は国家の「特殊な力」へと転化した。レーニンが革命の瞬間として語っているのは、この「特殊な力」がその被媒介的性格を脱して直接的なものになることによって、「普遍的な力」へと転化するという運動である。ここには本質的にはたったひとつの〈力〉しか登場していない。それは、唯ひとつの〈力〉がそれ自身生成変化していくことによって「革命の現実性」を成就させる〈力〉へと転化する、というプロセスなのである。

しかも、このたったひとつの〈力〉は、同時に真に実在する〈力〉である。というのは、見てきたように、それは資本制社会の国家・階級構造の只中から発生し、そこで生成・変化してきたものにほかならないからである。こうして、「実在する唯一の力」にレーニンは革命の原動力を見出すのであり、「革命の現実性」が真に「現実性」でありうるのは、それが「いまここ」にないものを夢想することによって見出された〈力〉ではなく「いまここ」に存在する〈力〉を基盤とするかぎりにおいてである。[53] レーニンの展開する〈力〉の一元論は、彼の根本的な思考様式である「革命の現実性」というスタイルと厳密に一致していることをわれわれはここに見る。

第七章 〈力〉の運命――『国家と革命』の一元論的読解（Ⅲ）

1 〈力〉の生成（Ⅲ）

残された問題

こうしてわれわれは、レーニンが語る一元論的な〈力〉の条件とその内的構成をつぶさに見てきた。しかし、未だ解かれていない問題がひとつある。それは、右に明らかになった「普遍的な力」が「特殊な力」から生成してくるのは一体いかなる契機によるのか、という問題である。

そしてさらに、いま提起した問題と結局は同じことであるが、われわれが提起したのみで回答が与えられていない問題がある。それは、本書第六章第三節および第四節で指摘したプロレタリアートの結合の条件に関する問題である。たしかに、個々の労働力商品の所有者として根源的に分断されている労働者階級は、本来は経済的関係から生じた階級闘争を国家を対象とする政治的闘争に転位することによって、統一の契機を得る。しかしこの契機は、すでに述べたように、必要条件ではあるが十分条件ではない。なぜなら、資本制社会においてあるかぎり、個々の労働者は現実には自らの労働力商品の私的所有者であるほかはなく、それが意味することは、個々の労働者が他のすべての労働者とラディカルな競争的関係にあるということであったからだ。つまり、労働者の闘争が政治的色彩を帯びることによって階級としての統一性を得るとしても、同時に彼らが現に資本制社会における労働者であるかぎり、彼らの間では不断の分断化傾向が作用せざるをえない。すなわち、その統一性は不断に切り崩されうるものでしかないということだ。要するに、「資本制社会においてあるかぎり」労働者階級の絶対的な団結は不可能事であるほかない。

してみれば、この問題の根源的な解決は、この限定を取り払うことにのみ求められなければならず、それ以外の解決法はすべて仮そめのものにすぎない。

連続と断絶

われわれは、さらに『国家と革命』のテクストを追うことによって、この問題についてレーニンがいかなる道筋をつけているのかということを考察しよう。見てきたように、理論的観点からすれば、第三章において『国家と革命』のテクストは頂点に達する。したがって、ある意味では、第四章以降の論述は第三章で示された決定的な事柄から生ずる帰結でしかない。このことを示すかのように、第四章「つづき。エンゲルスの補足的説明」は文字通り第三章の内容を反復的に確認する役割を負っている。この章では、国家の廃絶・死滅を展望に入れない日和見主義に対する批判と、革命的マルクス主義と無政府主義との相違を明らかにすることに、力が注がれている。レーニンはつぎのように言う。

われわれは、目標としての国家の廃止という問題では決して無政府主義者と意見が相違してはいない。われわれが主張するのは、この目標の達成のためには、搾取者に対して国家権力の武器・手段・方法を一時的に用いることが不可欠であるということであり、それは階級の廃絶のためには被抑圧者階級による一時的な独裁が必要であるのと同様である。(中略)そして、一階級が他の階級に対して系統的に武器を用いるというのは、国家の過渡的形態でなくて何であろうか?(54)〔傍点原文〕

本書第二章で論じたように、レーニンの無政府主義に対する批判の要点は、国家の廃絶・死滅のための「過渡期」を認めるか否かということに収斂する。しかも、この論点においてこそ、レーニンの〈力〉の扱い方に存在する大胆と繊細とが現れる。この場所では、レーニンの思考のこの特性は、連続と断絶という問題をめぐって現れている。すなわち、レーニンは、終局的な目標へ向けての跳躍という究極の断絶を「いまここ」に存在するものの連続的な展開として示そうとしている。言いかえれば、「現にあるもの」から「現にないもの」をつくり出さねばならないという革命の概念そのものに含まれている逆説を解きほぐすために、「過渡的形態」という概念が動員されている。「過渡的形態」としてのプロレタリア独裁は、未だ国家(=強制力・特殊な力)であるという意味では「現在」と連続しており、それが〈力〉の質的転換を告げるという意味では「未来」へ向かって断絶を孕むものとして措定されている。

「未来」の「現在」への浸入

レーニンの一元論は、「現在」を規定するもっとも主要な〈力〉を展開させることによって「未来」を描き出そうとする。このことによって、「現在」と「未来」は断絶を含んだ連続として現れる。あるいは、「未来」が「現在」のなかに浸入して来ると言ってもよい。そして、このような「未来」の「現在」への浸入によってのみ、われわれの提起した「プロレタリアートの団結不可能性」という問題が解決されうる。というのは、見てきたように、この問題は「資本制社会においてあるかぎり」解決不可能であった。したがって、プロレタリア階級が「普遍的な力」に達する真の結合を果たすためには、この限定が取り払われなければならなかった。

してみればこのことは、革命においてプロレタリアートは現に資本制社会のなかにあるにもかかわらず、それと同時に資本制社会のなかにあってはならない、ということを必然的に意味することになるだろう。資本制社会の外部にあるとは、それがすでに止揚された後の世界にあるということ、すなわち革命を経た後の世界にあるということにほかならない。つまり、革命を成就させる〈力〉の結合は、その〈力〉の担い手がすでに革命以後の世界（＝未来）を先取りしていなければ、成立しないということである。この先取りが可能とされるのは、われわれが図式に即して見たように、レーニンがまさに資本制社会の構造からの必然的な展開として、プロレタリア独裁の構図を論証してみせたことによる。つまり、「未来」は「現在」のなかにその基盤を有するものとして現れている。

だがこの一方で、プロレタリアートの団結の必要条件は、それがブルジョア階級との最終闘争に入ることによって、つまりプロレタリアートとブルジョアジーの〈友—敵〉的な関係を極限まで緊張させることによってであった。無論、このような鋭い階級対立は革命までの既往の社会関係によって形成される。したがって、一方ではプロレタリアートの団結とは、徹底的に革命以前の状況を前提とするものである。だが、いま述べたように、プロレタリアートが真に団結するためには、彼らは革命以後の世界を現に生きていなければならない。してみれば、レーニンが「前衛性」という言葉で語っていたこととは、ひとことで言えば、それは「現在のなかにありながら現在を超出する意識」にほかならない。こうして、真の意味で団結したプロレタリアートとは、現に旧社会のなかにありながら、同時に新社会を生きる存在として措定される。言いかえれば、それは現在と未来の両方に共属する、その意味で「過渡」を生きるものとして措定されるのである。

必要条件の十分条件への転化

こうして、未来が先取られることによる集団形成によってはじめて、本書第六章第四節「〈力〉の生成（Ｉ）」で論じた〈友—敵〉関係による階級の統一の形成が、「普遍的な力」の形成に対する必要条件から十分条件へと転化する。それはすなわち、われわれの図式に当てはめて言えば、C2はC1に対峙することによって（ただし、現象としては、図2′に示されるようにC1の代理としての国家に対峙することによって）統一体としてのC2を自己のなかに発見するわけだが、この〈友―敵〉関係は即座に時間性によって根拠づけられなければならないということだ。なぜなら、論じてきたように、C2の統一の形成は、それがそのまま現在の社会構造を超出するものでなければ、十全なものとはなりようがないからである。したがって、この敵対関係は未来と過去との間の闘争として現れざるをえず、そのようなものとして現れるときにのみC2は革命を担う「普遍的な力」を生成させることができる。

そしてこの生成の決定的瞬間は、具体的には、バリケードの内側の〈力〉（プロレタリアート）とそれを取り巻く者たち（公権力＝「特殊な力」の状態にある〈力〉）との結合として現れるだろう。レーニンがC2統一の契機をブルジョア国家の粉砕・破壊に見出したのは正当なことである。なぜなら、まさにこのような結合の瞬間において、ブルジョア国家の装置は事実上粉砕され崩壊しているからだ。そして、粉砕・破壊という言葉のイメージに反して、その瞬間には暴力は不在であるほかない。

「未来」への復帰

付け加えて指摘しなければならないのは、未来の先取りという契機は、本書第六章第五節「〈力〉の生成（Ⅱ）」で論じた「特殊な力」の「普遍的な力」への転化という運動に対しても決定的なものである、ということだ。というのも、「特殊な力」が「普遍的な力」へと転化することは、「特殊な」存在様態にある〈力〉がその本来の状態に移行することであると定義づけられたわけだが、このような言い方はある種の誤解を生じさせる恐れがある。その誤解とは、「本来の状態への移行」とは「本来の状態」への「復帰」[55]と解されかねないということである。現にレーニン自身が「《原始的》民主主義への《復帰》」という言葉を用いている。新社会の形成が原初的・本来的秩序への復帰としておこなわれるという復古的な形を取ったロマン主義的発想は、例えばフランス革命の思想的根拠となったと言われるルソーの『社会契約論』にも典型的に現れているが[56]、このような発想はレーニンにとっては反動的なものである。だからレーニンは、釘を刺すようにつぎのように言っている。

> 資本主義と資本主義的文化とを基礎とする「原始的民主主義」は、原始時代や前資本主義時代におけるそれと同じものではない。資本主義的文化は、大規模工業・工場・鉄道・郵便・電話などを創り出した。そしてこれに基づいて、旧来の「国家権力」の機能の大多数は、非常に単純化され、登録・記入・照合といったきわめて単純な操作へと還元しうる。それゆえに、これらの機能は読み書きのできる者ならば十分に手に負えるものとなっており、またこれらの機能は普通の「労働者なみの賃金」で十分に遂行しうるものになっているし、またこれらの機能から、特権的なものや「上司的なもの」の残滓を完全に取り除くことができる（また、そうしなければならない[57]）。［傍点原文］

このレーニンの言葉は、オプティミスティックではあるがロマン主義的ではない。なぜなら、これは直接態となった〈力〉に貫かれた人間とそれによって操作される機構がいかにして機能しうるのか、ということを述べたものだからである。典型的なロマン主義的思考は、人間的自然における本来的な善きものと、それに対して害をなす非本来的な悪しきものとの二元論という構えを取る。それに対し、一元論者レーニンにとって、かような前提は唾棄すべきものである。ゆえにここでもまた、彼の根本的な思考様式は貫徹されている。というのは、新しい「原始的民主主義」は、「資本主義的文化」によって形成されたものを原料とし、それが質的な転換を経たものとして構想されているからである。

このようなレーニンの思考方法は、いわば「現存するものによる弁証法」とも呼ぶべきものである。この思考法は、「もはや現存し得ないもの」（＝ブルジョア国家）を削ぎ落とし、同時に「これから現存すべきもの」（＝無国家社会）を「現存するもの」（＝資本主義文化）からの連続的な展開によって射程に入れる。この弁証法にしたがって、レーニンはここでも現に存在するものから可能なかぎり多くのものを引き出す。それが力強い説得力を持ったのは、レーニンの思考において「いまここ」に在るものは己のなかに未来を含んでいるものとして把握されているからである。したがって、諸存在がそれぞれの本来あるべきところへその身を置くという「移行」は、過去への「復帰」ではありえない。それは徹底的に、未来を獲得する行為として措定されているのである。

以上を念頭に置いて、レーニンが『国家と革命』において注目したマルクスの言葉、「労働者階級は、出来合いの国家をそのままわが手に握って、自分自身の目的のために使うことはできない」にふたたび眼を向けてみるならば、「普遍的な力」の出現において生じていることの異常さが理解される。

ここで過去を代表しているのは「出来合いの国家」であり、未来を代表するものは「労働者階級の支配」であるということは自明のように見える。しかし、この一見自明に思われる一節は、自明に思われるだけに豊かな含蓄を有している。なぜなら、「出来合いの国家」とは「現に存在する国家」であり、実際にはそれは過去のものでは決してないからである。それにもかかわらず、「労働者階級の支配」が登場した瞬間に、それは過去を代表するものとなってしまう。つまり、未来の出現が現在に存在するものを過去へと押しやる、言いかえれば現在を過去化するということにほかならない。このことは、未来が現在に浸入して来ること（＝未来の現在化）の裏面である。そして、この一節の意味するところが自明のものであるように一見思われるのは、まさにこうした事態が実際に生じているという現実そのものの異常性のためである。

マルクスによってパリ・コミューンの創設が未来の現前として記述されたということは、レーニンにとっては決定的なことであった。だから、コミューンの「原始的民主主義」が表面上どれほど「原始的」であったとしても、それは大した問題ではなかった。コミューンはそれが一瞬のことではあったにせよ、現在に存在するものを過去に属するものと見せた、つまりそのとき未来は現前していたのである。したがって、レーニンにおいてソヴィエト制度と重ね合わされたコミューンが体現していたことは、「自然状態への復帰・失われた楽園の回復」ではなく、徹頭徹尾未来への跳躍にほかならなかった。論じてきたように、コミューンの設立は「特殊な力」の「普遍的な力」への移行を意味し、この移行とは本来性への「復帰」であるとも言えるが、この「復帰」とは未来を現在化する（＝現在を過去化する）ことによってのみ可能であるものにほかならず、それが意味するのは、諸存在の本来的存在様態は将来的な時間性の構造においてのみ獲得されるものだ、ということである。

〈力〉の生成の構成要件

「〈力〉の生成」という言葉を鍵として、われわれは「普遍的な力」が成立するための要件を検証してきたわけだが、第一にそれは「階級間での〈友―敵〉関係の確立」であり、第二にそれは「特殊な力の普遍的な力への移行」である。そして、この二つの要件を貫く第三の要件が、右に述べてきた「未来の現在への浸入」であり、第一・第二の要件が本来的に満たされるのは、それらが第三の要件として挙げた将来的時間性という形式の鋳型に流し込まれることによってのみである。言いかえれば、第三の要件とは、第一・第二の要件を「普遍的な力」の生成にとっての必要条件から十分条件とするものにほかならない。

2 〈力〉と自由

歴史の前進

以上のように、「普遍的な力」の生成の契機とは、ひとことで言えば「未来」が先取られるということである。だから、レーニンは革命の最中において「過去」へ戻ろうとする動きを断固として告発する。それは、具体的に言えば、労働者の武装解除に関して生じた問題であった。「普遍的な力」のもっとも重要な基盤としてレーニンが措定したものが武装した労働者である以上、労働者の武装解除とは、「普遍的な力」として結集した〈力〉を解体・無力化しようとする試みであったと言ってよい。レーニンはつぎのように言う。

ツェレテリは、六月十一日の彼の「歴史的」演説で、ピーテルの労働者を武装解除しようというブルジョアジーの決意について口を滑らせたが、もちろん彼は、この決意を自分自身のものであるかのように、また一般に「国家的に」必要なものであるかのように偽ったのである！

無論、ツェレテリの六月十一日の歴史的演説は、一九一七年の革命を研究するすべての歴史家にとって、ツェレテリ氏率いるエス・エルとメンシェヴィキのブロックが、革命的プロレタリアートに反対して、ブルジョアジーの側に移ったことを示す最も明らか

な例証のひとつとなるであろう。[58]〔傍点原文〕

レーニンにとって、「労働者の武装解除」とはひとたび結集した「普遍的な力」を解体せんとする策動であった。ゆえに、その試みは直接に、エス・エル（社会革命党）とメンシェヴィキのブルジョアジー陣営への寝返りを意味するものにほかならないものとされる。われわれの図式に即して言えば、二月革命によってすでに図2′から図3への移行ははじまりかけているわけだが、労働者の武装解除がおこなわれるということは、公権力による暴力の再独占を意味し、それはふたたびブルジョア的秩序への復帰、図2′の状態への復帰がおこなわれることを意味するだろう。ここで「歴史家」に関する記述が一見唐突に出てくるのは偶然ではない。なぜなら、レーニンがここで言及している問題は〈力〉の運命を左右する事柄である以上、それは歴史が前に進むか、後ろへ戻るのかが決定される点にほかならないからだ。

共産主義社会のヴィジョン

しかし、レーニンが『国家と革命』を書いている時点で、労働者の武装は解除されず、歴史は後戻りしなかった。だからレーニンは、この現実の事態の進行に後押しされるようにして、つづく第五章には「国家の死滅の経済的基礎」という表題を掲げ、そこでは来るべき社会（共産主義社会）について、能《あた》うかぎり具体的にその出現の条件を語ることになる。結局のところ、その来るべき社会とはいかなるものなのか。「人類の前史の終結以後の世界」などという漠然とした言い方にとどまらず、より具体的な構想を打ち出し、かつ転換を「自然史的過程」として描くというマルクス主義的な厳密さを失うことなく、それを規定しようとするならば、いかなる語りが可能なのであろうか。

第五章に入る直前に置かれたレーニンのつぎのような言葉は、われわれにこの問題への示唆を与える。

> 民主制[59]は、少数者が多数者に服従することと同じでは**ない**。民主制は、少数者の多数者への服従を認める国家、すなわち、ある階級が他の階級に対して、住民の一部分が他の住民に対して、系統的に暴力を行使するための組織なのである[60]。［傍点強調原文］

ここでレーニンはデモクラシー・民主制を定義しようとしているわけだが、この言いかえは興味深いものである。一番目の文章では、民主制は「服従」ではないと言われている。つまり、言いかえれば、民主制とは少数者が多数者に対して服従するという「決まりごと」、あるいはそのような「原則」や「主義」ではないということだ。二番目の文章で言われているのは、民主制とはそのようなものではなく、「制度」や「機構」であり、もっと端的に言えば「国家」や暴力行使のための「組織」であるということである。要するに、民主制とは「観念」ではなく「物質」である。民主制は、「原則・主義」たることを欲しているにもかかわらず、実際には「物質」的な「機構」ないし「装置」であるにすぎない、ということをレーニンはここで言っている。

そして、この一節が置かれている場所にもまた注目せねばならない。それは共産主義社会への移行が語られる第五章に入る直前であり、すなわちそれは旧社会に関する記述の最後の部分であるということだ。つまり、階級が存在する旧世界においては、その最良の原則（＝民主制）は、ついに原則であることを僭称するのみであり、原則として通用しているものの実在態は物理的強制にほかならない、という洞察をここに見て取ることができる。

「言葉」と「モノ」の一致

さらに言えば、ここには唯物論によるブルジョア・イデオロギー批判と、ブルジョア・イデオロギー批判のツールとしての唯物論それ自体の究極的な乗り越えがある。というのは、レーニンがここで指摘しているのは、階級社会においては、原則あるいは思想はついに物質的なものを克服できずそれが指すものに到達しないということ、つまり言葉は結局言葉だけに留まる——それは唯物論のもっとも根本的な洞察であり、存在者の意識や思想は物質に拘束されているということを語る——という事実である。このことを逆に言えば、旧社会が止揚されるとは、思想が物質による拘束を克服することが可能になるという事態、言いかえれば、ある概念はその客観的・物質的な実在に到達する、言葉はそれが指す「モノ」と一致するという事態にほかならないはずだ。したがって、革命後の来るべき社会は、物質の桎梏《しっこく》を克服した究極的に「自由」な世界として、定義されている。つまり、「普遍的な力」はこの意味での自由をもたらすものとして現れてくるということだ。

そして、それがいかなる段階を経て成就され、いかなる状態を具体的にもたらすのかということが、『国家と革命』第五章では語られることになる。

3 〈力〉の自己廃棄

〈力〉の消滅

第五章「国家の死滅の経済的基礎」では、かなりの部分でこれまでの論述のくりかえしが現れるが、ここで語られるテーマは、いかにして社会主義そして共産主義が段階的に達成されうるかという問題である以上、ここで新たに主題的に考察される問題とは、ひとことで言えば、革命によって戴冠した「普遍的な力」が何をなすのかということに尽きるであろう。

そして、「普遍的な力」は改良でも改革でもなく、革命を基づける〈力〉である以上、それがなすことは従来の〈力〉がなすこととは決定的に異質なものでなければならなかった。言うまでもなく、それがもたらすものは、単なる搾取の緩和や民主主義の拡大といった量的次元にとどまってはならないものとされる。

具体的な記述に注意を払えば、レーニンはここでマルクスに依拠する形でつぎのようなシナリオを描く。それはすなわち、革命によってプロレタリアートの独裁が樹立され、この独裁体制はブルジョア階級を抑圧・消滅させることによって、階級対立を消滅させる。こうして階級対立がなくなると、階級の抑圧のための「特殊な力」としての国家は存立根拠を失っていくので、国家は徐々に死滅する。これはもはやおなじみの筋書きであり、本書を最初から読み進めてきた読者にとってはさほど新鮮味のない議論であるが、それでもやはり、本章に現れるすべての社会的抑圧が排除された共産主義世界に関するレーニンの記述は、一種の迫真性を帯びており、深い印象を与えるものである。それはなぜなら、ユートピア主義者とは反対に、——そしてまた、マルクスと同じく——、理想社会をイメージによって語ることについて一貫して禁欲的であったレーニン（このことはかの「偶像崇拝の禁止」の教えからして当然のことではあったが）が、革命そのものに促されて、共産主義社会の世界像をありうべきぎりぎりの形で提示しているからである。

究極的な到達点はつぎのように描かれる。

> 社会のすべての成員、少なくともその圧倒的大部分が、自ら国家を統治することを学び、この事業を自らの手に引き受け、取るに足らない少数の資本家や、資本主義的な習癖を保持したがる紳士諸君、また資本主義によって深く堕落した労働者に対する統制を「組織した」ときには——その瞬間から、あらゆる統治一般の必要がなくなり始める。[61]
> ［傍点原文］

つまり、社会主義・共産主義革命の発展の過程は、「普遍的な力」による統治を拡大することにはじまり、その拡大の結果によって統治そのものが終るというプロセスである。そして統治行為とはつねに、何らかの権力および暴力の発現以外の何ものでもない。してみれば、ここで展開されている論理とは、「普遍的な力」が拡大し、そしてその頂点においてその〈力〉自身が消滅するという論理にほかならない。見てきたように、レーニンが措定する一元論的な〈力〉のそもそもの出所は、階級対立に凝集した〈力〉であった。それが、「特殊な力」として国家権力に変換され、今度はこの「特殊な力」がそのまま「普遍的な力」へと転化した。革命後には、階級対立が消滅するとされるということは、〈力〉の起源そのものが断たれるということを意味する。だから、レーニンがこの章で「力の消滅」を語っているのは、論理的に首尾一貫したことである。

〈力〉の普遍性の発現としての〈力〉の消滅

また、このように〈力〉が生成変化の過程の最終局面において自己を廃棄することは、同時に、普遍的なものとなった〈力〉の普遍性の最終的な成就でもある。〈力〉が自己廃棄を成し遂げ、「特殊な力」による統治が廃された後にはいかにして秩序が構成されるのかという問題について、レーニンはつぎのように述べている。

われわれはユートピア主義者ではないから、個々の人間が悪行を犯す可能性と不可避性とを少しも否定しないし、また、これらの悪行を抑圧する必要をも否定しない。しかし、（中略）そのためには、抑圧のための特殊な機構、特殊な機関は必要ではない。武装した人民自身が、簡単に、容易に――ちょうど今日の社会においてすら、文明人の集まりでさえあれば、簡単に、容易に喧嘩している人々を引き分け、婦女子への暴行を許さないように――これを遂行するであろう。(62)［傍点原文］

レーニンはこの章で、共産主義社会において人びとが秩序を守る「習慣」を身に着けるであろうということをたびたび述べているが、この一節は「習慣」が具体的にいかにして機能するのかを記述したものとみなすことができる。特筆すべきは、この「習慣」に道徳性が関係していないことである。ここで人間の根源的道徳性（＝善きもの）を措定することによって秩序の可能性を担保してしまったならば、「原始的民主主義への復帰」と同じように、議論はロマン主義的な二元論にたちまち落ち込むことになっただろう。しかし、「習慣」という言葉を用いることによってレーニンがここで強調しているのは、道徳性とは関わりのない人間行動の一種の惰性のようなもの、言いかえればもっとも空虚なものである。

人間は「特殊な力」の支配・影響から完全に脱して「普遍的な力」を成就し、それに貫かれることによって、「習慣」に従うことになる。ここにおいて、レーニンの語る「習慣」は「普遍的な力」が取る形態についてのありうべきぎりぎりのイメージとして提示されている。それがぎりぎりのイメージであると言いうるのは、「習慣」が人間主体におけるもっとも空虚なものとして措定されているからである。つまり、「普遍的な力」はその全面的な実現において、無へと還元されている。言いかえれば、「普遍的な力」の最終的な成就とその消滅は、同一の出来事としてとらえられているのである。

〈力〉の消滅の意味

ここに表現された思想には、ヘーゲルが発展させ、マルクスがそれを受け継いだ近代の世俗化された終末論思想が実に明瞭な形を取って現れている。世界を規定する「普遍的な力」が自らを実現しつつその終焉に至るという論理は、世界をもっとも強力に規定してきた〈力〉が消滅するということ、したがって世界の根底的な存在様態が変化するということを意味し、つまりは変化以前の世界と以後の世界という形で世界の時間的な決定的断絶がもたらされることを意味する。ゆえに、〈力〉の実現＝消滅という論理は革命の概念を十全に実現している。

レーニンの言う「共産主義社会」は、従前の世界を規定してきた〈力〉が質的転化を経て最終的に実現された＝消滅した時点にはじまると言ってよいだろう。〈力〉は自己自身を廃棄することによって、世界を自由なものとする。その自由な世界が意味することは、先に述べたように、思想が思想に一致し、原理が原理に一致する世界、すなわち総じて言えば、「言葉がそれ自身が指すものに一致する」世界であると言うことができる。なぜなら、われわれが追跡してきた〈力〉とは、物質的なものをめぐる闘争の只中から生じてきたものである以上、この〈力〉が「特殊な」状態で存在するかぎりは、いかなる存在者の意識も思想も物質による制約にとらわれたものでしかなかったからだ。したがって、〈力〉が普遍的なものとして完成されると同時に消滅するということは、とりもなおさず、すべての言葉は物質による制約から逃れてあるということを、言いかえれば、言葉はそれが本来指すところの「モノ」に達するということを示すであろう。

4　〈力〉の降臨

テクストの中絶

『国家と革命』という書物は、知られているように、未完の書である。というのは、レーニンは第七章「一九〇五年と一九一七年のロシア革命の経験」という部分を最終章として書くつもりであったが、十月革命前夜という状況の切迫によってこの作業は放棄され、蜂起の準備のために潜伏先のフィンランドからペトログラード（サンクト・ペテルブルク）へと向かうことになる。このような事情により、第七章は出だしのわずか数行が書かれただけで、結局執筆されず、『国家と革命』は未完のままに終った。

しかし、このテクストはこのような形で中絶されることによって、まさにそれが未完であることによって、逆説的にも比類のない形で完成されたテクストとなっている。レーニン自身は、あとがきでつぎのように言っている。

この小冊子は、一九一七年の八月と九月に書いたものである。私にはすでに、次の第七章「一九〇五年と一九一七年のロシア革命の経験」の腹案ができていた。しかし、私は表題のほかには、この章を一行も書けなかった。政治的危機、すなわち一九一七年の十月革命の前夜が、これを「妨害した」のである。このような「妨害」には喜ぶほかない。しかし、この小冊子の第二分冊（一九〇五年と一九一七年のロシア革命の経験にあてられるもの）は、おそらく長い間延期しなければならないだろう。「革命の経験」をやり遂げることは、それについて書くよりも、愉快で有益である。(63)

〈力〉の生成を追ってきたわれわれにとっては、一体何によってレーニンがこれ以上書きつづけることが、「愉快」にも「妨害」されたのか明らかである。もう一度テクストの展開を追ってみよう。レーニンはこのテクストにおける主題として、実在する唯一の、もっとも強力な〈力〉について語ってきた。それは生成変化を遂げ、革命を担う「普遍的な力」へとテクストのなかで練り上げられる。そして、第五章においてはそれの最終的な消滅という歴運までが開示される。つづく第六章「日和見主義によるマルクス主義の卑俗化」においては、〈力〉の存在を認めぬ日和見主義的な似非マルクス主義者と、二元論的に抽象的に〈力〉を措定する無政府主義者への批判がくりかえされる。だから内容的に言えば、『国家と革命』第六章にはほとんどまったく新しいものはなく、これまでの論述がくりかえされるだけである。つまり、〈力〉の最終的運命までもが語られた第五章以後のテクストは、もはや〈力〉

について何も言うべきことを持っていない。それゆえ、ここでは〈力〉は理論のなかでは行き場を失ってしまっているのである。

分析から宣言へ

それがどのような事態を招くのか。実際に書かれたテクストのほとんど最後の部分である第六章末尾付近のつぎのような一節は、〈力〉の運命を見極めるうえで興味深いものである。

　われわれは日和見主義者と訣別するだろう。そして、すべての自覚したプロレタリアートは、「力関係の変動のための闘争」ではなく、ブルジョアジーの打倒のため、ブルジョア的議会主義の破壊のため、コミューン型の民主主義共和制あるいは労働者・兵士代表のソヴィエトの共和制のため、プロレタリアートの革命的独裁のための闘争において、われわれとともにあるであろう。(64)〔傍点原文〕

　ここで語られている事柄の言説の形式は異様である。なぜなら、もはやこの言葉は理論的言説でもなければ、他党派に対する批判でもない。分析的な言説は姿を消し、ここにあるのは一個の宣言である。つまり、ここにおいてテクストはそれ自身の主題を超出しつつあることが見て取れる。そしてこの宣言の内容は、いまレーニンがそれに向けて立ち上がろうとしている戦いは、「力関係の変動のための闘争」ではないということだ。無論、現実の戦いは

「力関係を変動」させることによって戦われる。しかし、レーニンがここでめざしているのは、あの「普遍的な力」を立ち上げることであり、それはすなわち、その終局において〈力〉そのものが消滅してしまう〈力〉を立ち上げるための戦いである。つまり、「力関係の変動」を永遠に不可能事にしてしまうための戦いである。

著者の追放＝〈力〉の降臨

はたして、この「宣言」の後に訪れるテクストの中絶という光景は一体何なのか。それは、このテクストの真実を、《革命のテクスト》の真実を告げるものである。この不在のページという非―場所こそが、レーニンが『国家と革命』において展開してきた議論のすべてが集約されている点にほかならない。

述べてきたように、レーニンは現存する唯一の〈力〉が革命を担う〈力〉へと転化されうることを論じてきた。その議論の正しさ、その〈力〉が本当に存在するものであることが最終的に証明されるのは、まさにこの場所においてである。なぜなら、〈力〉を記述してきたテクストそのものまでがその〈力〉に巻き込まれ、中止されるという事態こそ、ここで生じている出来事にほかならないからだ。

『国家と革命』というテクストは、マルクス主義国家論の理論的規定からはじまり、歴史的考察を経ることによって、われわれが見てきたように、「普遍的な力」は己の姿を徐々に明確なものにしていった。〈力〉の造形の作業は第四章においてひとまず完了され、第五章においては現実の歴史を追い越して〈力〉のたどるであろう運命が語られる。つづいて、右の引用部にあるように第六章ではそれが立ち上がることが宣言された。そして、第七章に達した瞬間に、すなわち、考察が未来をひと度経めぐって将来的時間性を引き連れたうえでふたたび歴史に立ち戻り、テクストの執筆段階における現在が主題化された瞬間に、テクストは唐突に終ってしまう。

一九一七年のロシアで、レーニンが措定する〈力〉はいままさに立ち上がろうとしていた。その立ち上がりつつあるものを、レーニンは記述してきたのである。革命状況の切迫によってレーニンがここで『国家と革命』を現実に書きつづけることができなくなったということが意味しているのは、ここでついに、テクストのなかで記述されてきた〈力〉が、本物の物理的な〈力〉として立ち上がり、テクストの上へ降臨したという事態にほかならない。逆に言えば、この〈力〉の降臨によってレーニンはこれ以上書くことを阻止されたのである。ここでテクストは、それ自身が語る真理に到達している。

革命のテクスト

そしてまた、レーニンが描く共産主義が実現される未来社会とは、言葉がそれが指示するモノと一致する世界として描かれた。してみれば、『国家と革命』というテクストにおいては、それが描いてきた事柄（＝言葉）が最後に客観的・物理的な形態（＝モノ）を取ってテクストに降臨するということによって、来るべき共産主義社会における世界の在り方を先取りしてすでに表現している。そして、述べてきたように、社会主義革命を担う〈力〉の生成における十分条件を構成する契機とは、未来を「いまここ」において現前させるということであった。したがって、『国家と革命』というテクストのなかで起こる出来事は、彼の考える社会主義革命の本質そのものと完全に一致している。まさにこのことが、『国家と革命』が《革命のテクスト》たる所以《ゆえん》であり、レーニンの革命的言説の持つ比類なき形式とは、じつにこのようにして言説が革命そのものと一致してしまうということに見出されるのである。

5 『国家と革命』の祝祭的時間性

闘争の時間化

プロレタリア革命としてのロシア革命は、レーニンの意図によればブルジョアジーとプロレタリアートの世界最終戦争の始まりとして闘われるべきものであった。これによって人類史を構成してきた階級闘争が終結するとされる以上、それは文字通り「最終」の戦いであり、これ以後本質的な対立というものは存在しえず、本質的な闘争もありえない。この最終闘争においては、ブルジョア階級が旧き世界・「人類の前史」を代表するものであり、プロレタリア階級が新しき世界・「自由の王国」を代表するものとして現れる。してみれば、闘争は必然的に過去と未来との間での戦いとして現れてくる。レーニンにとっての内戦の意味とはまさにこれである。ロシア革命における内戦の際立った特徴は、通常人びとの戦いは空間的属性によって分かたれた諸集団の間で戦われ、空間の獲得・防衛をめざして戦われるのに対し、レーニンの考える闘争は時間的属性によって分かたれた集団の間で戦われ、どちらの階級が己の未来を摑むのかということを決するために闘われたということである。スーザン・バック＝モースはつぎのように言っている。

近代の政治のこれら二つのヴィジョン［引用者註：国民国家と階級戦争を指す］におけるもっとも顕著な差異は、それらの視覚的展望を決定する位相である。その位相によって、敵の性質と配置が決定され、戦争が遂行される領野が決まる。国民国家にとっては、その位相とは**空間**であり、階級戦争にとっては、その位相は**時間**である。国民国家の政治的想像界においては、空間は絶対的優先性を持っている。国家になることとは、領土を獲得することである（対照的に、一九一七年のボリシェヴィキの理論は領土を持つものにも持たないものにも国家的独立を認めた）。（中略）国民国家にとって内戦は悲劇であり、その存在そのものにとっての脅威であるのに対し、階級革命にとって、それは望ましい歴史の目標へ向けたひとつのステップである。(65)［強調原文］

バック＝モースはさらに「階級戦争においては空間は単なる戦術的なものであって、政治的目標ではない。それに対し、国民国家にとっては時間は戦術的なものであり、空間がすべてである(66)」とつづけている。ロシア革命における内戦が、時間を軸にして戦われたということは、われわれが見てきた〈力〉の性質、すなわち未来が先駆的に現前することによってそれは生成した、という性質から必然的に生じた帰結であることは明らかである。

第一次世界大戦による歴史の終り

このように闘争の領野が極度に時間化されたことと、当時の帝国主義戦争という時代状況を結びつけて考えてみることは興味深い。レーニンも『帝国主義』を著してこの状況に取り組んだわけだが、そのなかで彼が強調していることは、それが書かれている時点で列強による地表の分割が地球の隅々までことごとく完了している、という事実である。つまり、空間的に世界は占領され尽くしてしまった、世界は空間的には終ったという認識がここにはある。

もはや切り拓くべき空間が存在しないということは、必然的に地表の再分割のための闘争を招来し、それは現に第一次大戦として戦われた。そこでなされていたこととは、閉ざされた空間において勢力の布置を塗り替える、あるいはそれを防ぐための闘争であり、すなわちレーニンの言葉で言えば、「力関係の変動のための闘争」にほかならない。もはや世界は閉じている以上、この闘争においては、本質的に新しいものはありえず、それはその未曾有の悲惨さにもかかわらず、純粋な力の戯れであるほかない。したがってそこには何の意味もない。つまり、レーニンの洞察にとって世界分割の完了が意味したこととは、空間的拡張一般が人類に対して、何ら未来を与えず、また空間をめぐる闘争が意味を剥奪された時代が到来したということである。してみれば、空間的配置に基づいて成り立つ国民国家を肥大化させたものとしての帝国主義諸国家の間で争われた第一次大戦とは、歴史がその意味のゼロ度へと到達してしまったことを示す戦争にほかならなかった。

つまり、こうして歴史はこのときすでに一度終っていた。ゆえに、レーニンとボリシェヴィズム（そして、社会主義革命にシンパシーを抱いた世界中のコミュニストたち）にとって課題となったことは、意味を持つ歴史を再開することであった。ここに闘争の軸を空間から時間へとラディカルに転化させた理由がある。述べたように、空間をめぐってなされる闘争は、すでに根源的な意味を失っているように思われた。ロシアを破滅させてでも階級戦争を戦い抜こうとレーニンが欲したのは、ロシアという空間の獲得そのものにはもはや根源的な意味が存在しなかったからにほかならない。

レーニンにおける「未来の浸入」の特異性

しかしながら、以上のようなレーニンの時間認識は、ただ単に未来志向主義として理解されてしまうならば、さほど独創的なものであるとは見えない。近代以降の何時の世にも、凡百の「新時代」のイデオローグたちがあらゆる社会領域において存在してきたし、いまも存在している。「これからは……の時代だ」という紋切り型の語り口ほど巷間に溢れているものはない。だから、レーニンの言説における顕著な点は「未来」の浸入のさせ方という、言説の形式的な側面にある。そしてそのために、レーニンが呼びかけた「未来を獲得する闘争」によって導入されるものは、あらゆる「新時代」とは質的に異なったものとなる。

木村敏は『時間と自己』において、人間による時間性の把握の仕方の三類型を挙げている。ひとつ目は「分裂病者の時間」、ふたつ目は「鬱病者の時間」、最後に「祝祭の時間」である。最初のふたつの類型の特徴について簡単に説明すれば、つぎのようになる。すなわち、「分裂病者」は「つねに未来を先取りし、現在よりも一歩先を読もうとしている。彼らは現実の所与の世界によりも、より多く兆候の世界に生きているといってよい(67)」「傍点原文」。これに対して、「鬱病者の時間」は「自己自身におくれをとらないように、とりかえしのつかない事態にならないように、これまでの住み慣れた秩序の外に出ないでおくという、いわばきわめて保守的な、ハイデッガー的にいえば既存性を存在の唯一の根拠にしているような時間である(68)」。

一見して両者は対照的なあり方をしているということがわかるが、素朴な見方をすれば、前者は革命的な時間意識であり、後者は保守的なそれであるかのように見える。それゆえに、前者を革命的なプロレタリアートの意識、後者を保守的なブルジョアジーの意識になぞらえるということもかつてなされた(69)。

しかし、レーニンの思考法、あるいは彼の持っていた時間意識は、「分裂病者」のそれとは決定的に異なる。なぜなら、レーニンの思考の特異性とは「現実の所与の世界」への徹底的な沈潜によって「未だ在らざる世界」を引きだすという点にあるということは、本書で再三指摘してきた通りであるからだ。むしろ、このふたつの類型になぞらえられるべきは、

『国家と革命』で激しく批判された無政府主義のイデオロギーと第二インターナショナル的なイデオロギーである。すなわち、前者は国家を即座に廃絶できると主張するが、それは兆候を現実と取り違えているにすぎない。そして後者は、帝国主義戦争の全面的勃発という新しい状況下においても未だに国家の維持──そこから愛国主義の噴出という第二インターの崩壊の理由も出て来る──という既往の公式を墨守しようとしたのであった。

それでは、レーニンによる「未来の浸入」の論理は、「分裂病者の時間」ではないとすれば、はたしてどのようなものなのだろうか。

「第三の狂気」

興味深いことには、木村によれば、このふたつのそれぞれに病んだ時間意識は、正常な日常的時間意識におけるふたつの要素──「未知なる未来における自己の可能性の追求と、既知の慣習や経験への保守的埋没」[70]──がそれぞれ極端に突出したものであるという。つまり、ふたつの時間意識が対極にあるように見えるとしても、実際にはむしろそれらは同根的であるということだ。なぜなら、未来の把持と過去の把持という、われわれが日常生活を営むうえで不可欠な両要素のうちの一方が突出することによって、人はこれらの精神疾患に罹るというわけだからだ。だから、これらのふたつの狂気は、どちらも日常性の圏内に属するものであり、日常性における時間意識をそれぞれ逆の方向に突き詰めていったところに現れるものだと言えるだろう。

そして、これらの同根的狂気とは質的に異なるものとして、木村は「日常性の内部構造それ自体の解体によって姿を現す非日常性」[71]［傍点原文］としての「第三の狂気」（＝祝祭の精神病理）の存在を指摘している。そして、前二者が日常性の突出であるのに対して、この第三のものは日常性が解体したところに現れるという。このような狂気の典型的な具体的事例として木村は躁病等を挙げているが、興味深いのは、それらの発作において患者に経験される「永遠が永遠としての実感を伴ってわれわれに直接に現前する」[72]という事態である。そして、このような大いなる永遠の現前を前にして、「日常性を保証する理性的認識の座としての意識の解体」[73]［傍点原文］が生ずるという。

『国家と革命』の狂気と祝祭的時間性

レーニン『国家と革命』を貫いているものとは、おそらくこのような狂気にほかならない。時間の蝶番が外れ、日常性の直線的な延長のものではないものとしての未来性が現在に浸入して来るという事態、これこそがレーニンのテクストを単なる空想家によるそれとは決定的に異質なものたらしめている。

レーニンの主張と無政府主義者の主張との、また両者の主張が基づいているそれぞれの思考様式における微細かつ決定的な差異を思い起こしてみよう。それは、両者が同じもの（＝国家の廃絶）を終着点と見なしながらも、レーニンは「いまここにあるもの」に徹底的に密着していた一方で、後者は「いまここにないもの」へと一足跳びに駆け上がろうとしたことにあった。後者の主張はラディカルであるかのように見えるが、実際には保守的な側面を持っている。なぜなら、「いまここにあるもの」を認めず「いまここにないもの」についてのみ語るということは、現状に不満を持つ者がもっとも安易に手にすることができる心の慰めでもあるからだ。つまり、現状の否認とは日常的な意識を構成する重要な一要素である。そして、人びとがこのような心の慰めによって満足することができるならば、革命（＝非日常性）は永遠に不要である。

　してみれば、レーニンにおける〈力〉の生成の十分条件をなすところの「未来の現在への浸入」の特異性とは、その未来が一種の祝祭として、大いなる永遠の現前として現れているところにある。それは、過去・現在・未来の連続した流れとして通常われわれが対象化するような時間ではない。しばしば言われるように、このようなわれわれの日常的な時間意識においては、「未来」とは現在の延長であるにすぎず、本来の意味での未来は存在しない。それに対し、『国家と革命』における「未来の現在への浸入」は、このような流れが中断・解体されることによって、生じている。つまり、質の違った時間性が祝祭のように其処《そこ》に現前しているのである。そこには、現存する世界の内奥から湧き出てくるあの〈外部〉が堂々と現れ出ている。それだからこそ、『国家と革命』においてはアナーキックな主張が異様なリアルさを伴っているのだ。

　そして、この祝祭の存在を最終的に確証しているのは、あの最後の不在のページにほかならない。なぜなら、そこではテクストの作者は姿を消し、描かれてきた〈力〉そのものが筆を執っているからである。ここにおいて、作者の意識は見事なまでに解体されている。

おわりに――宙吊りにされたままの「リアル」

レーニンとは誰か、いかなる思想の持ち主であったのか、ということを見極めることを本書は課題として設定し、書き進められた。われわれは彼を「リアルなもの」の探求者としてとらえるという前提に基づいて論を進めてきたが、この前提の正当性はおそらく証明されたのではないだろうか。リアルなものは物質的な形をとってレーニンのテクストに刻み込まれさえしたのである。

その後のロシア革命・ソヴィエト連邦がたどった歴史に思いを致すならば、レーニンの構想した「普遍的な力」によるプロジェクトがいかに困難なものであったのかを思い知らされずにはいられないことはたしかである。そこかしこに彼の像が建てられたのは、あたかもこの困難を人びとに思い知らせるために人びとを睨みつづけることを目的としているかのようであった。

しかしながら、われわれが詳細に見てきたように、レーニンの企ては単に忘れ去られるに任せるにはあまりにも強烈なリアルさを湛えている。レーニンの峻烈な言葉のなかで焔となって渦巻いたリアルな希望は、――彼に訣れを告げたあの映画に映し出されたレーニン像のように――、ヴァルター・ベンヤミンの言う「歴史の天使」にも似た姿で[1]、九〇年もの長きにわたって宙吊りにされたままだ。

注

はじめに

（1） Alexander Cockburn, “Radical as Reality”: *After the Fall: The Failure of Communism and the Future of Socialism,* Edited by Robin Blackburn, Verso, London and New York, 1991, p.167.

（2） アラン・バディウ「〈一〉はみずから〈二〉に割れる」松本潤一郎訳：長原豊・白井聡編集企画『別冊情況：レーニン〈再見〉あるいは反時代的レーニン』情況出版、二〇〇五年、二二三頁。

第一部

（1） Edward Hallet Carr, *The October Revolution: Before and After,* Vintage books, New York, 1971, p.8-9. E・H・カー『ロシア革命の考察』南塚信吾訳、みすず書房、一九六九年、一六〜一七頁。

（2） V・シクロフスキー『革命のペテルブルグ』水野忠夫訳、晶文社、一九七二年、一八九〜一九〇頁。

（3） 今日の議論においてレーニンの「秘密」が言及される時、それは多くの場合レーニン以前的な意味での政治的秘密が暴露されているにすぎないように思われる。筆者が本書で第一義的に究明しようとすることは、「別の秘密」がいかにして可能なものとなったのか、ということである。

（4） L・D・トロツキー『ロシア革命史』藤井一行訳、岩波文庫、二〇〇〇年、第二分冊・九八〜九九頁に引用。

（5） Slavoj Žižek, *Introduction: Between the Two Revolutions,* in V. I. Lenin, *Revolution at the gates: A Selection of Writings from February to October 1917,* Edited and with an introduction and afterword by Slavoj Žižek, Verso, London and New York, 2002, p.12. S・ジジェク『迫り来る革命――レーニンを繰り返す』長原豊訳、岩波書店、二〇〇五年、一九頁。

（6） Adam B. Ulam, *Lenin and the Bolsheviks: The Intellectual and Political History of the Triumph of*

Communism in Russia, Secker and Warburg, London, 1966, p.353.

（7）Quoted in Kevin Anderson's *Lenin, Hegel, and Western Marxism: A Critical Study,* University of Illinois Press, Urbana and Chicago, 1995, p.148.

（8）E・ウィルソン『フィンランド駅へ――革命の世紀の群像』岡本正明訳、みすず書房、一九九九年、下巻・六四〇頁。

（9）同書、下巻・六二〇頁。

（10）Neil Harding, *Lenin's Political Thought, volume2; Theory and Practice in the Socialist Revolution,* Macmillan, London, 1981, p.83.

（11）А. Д. Синявский, *Основы советской цивилизации,* М., 2002, С. 77. A・シニャフスキー『ソヴィエト文明の基礎』沼野充義・平松潤奈・中野幸男・河尾基・奈倉有里訳、みすず書房、二〇一三年、八六頁。

（12）R・サーヴィス『レーニン』河合秀和訳、岩波書店、二〇〇二年、下巻・二八頁。および、Neil Harding, *Leninism,* Macmillan, London, 1996, p.86.

（13）В. И. Ленин, *Полное Собрание Сочинений, изд. 5-ое,* Т. 33, М., 1969, С. 112-113. 大月書店版『レーニン全集』（以下、『全集』と略記）第二五巻、（「国家と革命」）、五二四～五二五頁。

（14）В. И. Ленин, *Полное Собрание Сочинений, изд. 5-ое,* Т. 6, М., 1967, С. 39.『全集』第五巻、（「何をなすべきか?」）、四〇五頁。ただしレーニンによる引用部分全部は、ここに引用されたものよりも幾分長い。

（15）Andrzej Walicki, *Marxism and the Leap to the Kingdom of Freedom: The Rise and Fall of the Communist Utopia,* Stanford University Press, Stanford, California, 1995, p.213.

（16）この主題については、白井聡『増補新版「物質」の蜂起をめざして――レーニン、〈力〉の思想』作品社、二〇一五年、第三章、をも参照されたい。

（17）S・ジジェク『全体主義――観念の（誤）使用について』中山徹・清水知子訳、青土社、二〇〇二年、特に一三八～一四三頁を参照されたい。

(18) レーニンの次のような言葉は、如実にこのことを物語っている。「もちろんこれは、労働者がこのイデオロギー［＝社会主義的イデオロギー］をつくり上げる仕事に参加しないということではない。ただ彼らが参加する場合には、労働者としてではなく、社会主義の理論家として、つまりプルードンやヴァイトリングのような人として参加するのである」［傍点引用者］。［В. И. Ленин, *Полное Собрание Сочинений, изд. 5-ое*, Т. 6, М., 1967, С. 39.『全集』第五巻、（「何をなすべきか？」）、四〇七頁。］

(19) Georg Lukács, *Lenin: A study in the Unity of His Thought*, Translated from the German by Nicholas Jacobs, Verso, London and New York, 1997, p.11.

(20) M・エレル『ホモ・ソビエティクス――機械と歯車』辻由美訳、白水社、一九八八年、四六頁。

(21) 実際にナシーロフという人物は、『資本論』を読んで、このような見解に至り着き、実にくつろいでいたという。A・ヴァリツキ『ロシア資本主義論争――ナロードニキ社会思想史研究』日南田静真・松井憲明・高橋馨・冨岡庄一訳、ミネルヴァ書房、一九七五年、二〇三〜二〇四頁。

(22) В. И. Ленин, *Полное Собрание Сочинений, изд. 5-ое*, Т. 29, М., 1969, С. 199.『全集』第三八巻、（「哲学ノート」）、一八七頁。

(23) 猪木正道は、レーニン思想のこの特徴を、バブーフ、ブランキ、そしてマルクスの思想が体現していた「革命の緊迫性」の復興としてとらえている。猪木正道『社会思想史』弘文堂、一九五〇年、三三六頁。

(24) В. И. Ленин, *Полное Собрание Сочинений, изд. 5-ое*, Т. 6, М., 1967, С. 30.『全集』第五巻、（「何をなすべきか？」）、三九五頁。

(25) Там же, С. 37.『全集』第五巻、（同書）、四〇三頁。

(26) Там же, С. 22.『全集』第五巻、（同書）、三八六頁。

(27) В. И. Ленин, *Полное Собрание Сочинений, изд. 5-ое*, Т. 30, М., 1969, С. 328.『全集』第二三巻、（「一九〇五年の革命についての講演」）、二七七頁。

(28) Там же, С. 306.『全集』第二三巻、（同講演）、二五九頁。

(29) В. И. Ленин, *Полное Собрание Сочинений, изд. 5-ое*, Т. 6, М., 1967, С. 183.『全集』第五巻、（「何をな

すべきか?」)、五六三頁。

(30) M・メイリア『ソヴィエトの悲劇——ロシアにおける社会主義の歴史 1917～1991』白須英子訳、草思社、一九九七年、上巻・一三四頁。

(31) В. И. Ленин, *Полное Собрание Сочинений, изд. 5-ое*, Т. 6, М., 1967, С. 52.『全集』第五巻、(「何をなすべきか?」)、四二〇頁。

(32) Там же, С. 70.『全集』第五巻、(同書)、四四一頁。

(33)「イスクラ」(Искра)は、レーニンらが一九〇〇年に創刊したロシア社会民主労働党の機関紙の名前。「火花」を意味する。

(34) L・アルチュセール「レーニンとヘーゲル」:『レーニンと哲学』西川長夫訳、人文書院、一九七〇年、一一三頁。

(35) 同書、一一三～一一四頁。

第二部

(1) Martin A. Miller, *Freud and the Bolsheviks: Psychoanalysis in Imperial Russia and the Soviet Union*, Yale University Press, New Haven and London, 1998, p.86.

(2) *Ibid.*, p.85.

(3) В. И. Ленин, *Полное Собрание Сочинений, изд. 5-ое*, Т. 6, М., 1967, С. 47.『全集』第五巻、(「何をなすべきか?」)、四一六頁。以降第二部における同書への参照註は、原書の頁数と大月書店版全集の頁数のみを表記する。

(4) С. 30-31. 三九五頁。

(5) С. 39. 四〇七頁。

(6) С. 79. 四五一頁。

(7) S・フロイト『モーセと一神教』渡辺哲夫訳、日本エディタースクール出版部、一九九八年、二七頁。

（8）同書、一二四頁。
（9）同書、一四一頁。
（10）同書、一五〇～一五一頁。
（11）上山安敏『フロイトとユング――精神分析運動とヨーロッパ知識社会』岩波書店、一九八九年、第七章を参照されたい。
（12）S・フロイト、前掲、『モーセと一神教』、一九八頁。
（13）同書、一五一～一五二頁。
（14）同書、一二一頁。
（15）同書、九八頁。
（16）M・ウェーバー『宗教社会学』武藤一雄・薗田宗人・薗田坦訳、創文社、一九七六年、三五頁。
（17）C. 96. 四六八頁。
（18）C. 75. 四四六～四四七頁。
（19）S・フロイト、前掲、『モーセと一神教』、一六九頁。
（20）同書、一七八頁。
（21）同書、一九六頁。
（22）同書、一三二頁。
（23）同書、二〇四頁。
（24）同書、一三二頁。
（25）同書、一三三頁。
（26）M・ウェーバー『宗教社会学』、三二五頁。
（27）C. 68. 四三九頁。
（28）S・フロイト、前掲、『モーセと一神教』、一六七頁。
（29）S・フロイト『精神分析入門』［上］高橋義孝・下坂幸三訳、新潮文庫、一九七七年、三八五頁。

(30) 同書［下］、四一頁。
(31) 同書［下］、一五五頁。
(32) 同書［下］、一八三頁。
(33) J・ラカン『精神分析の倫理』［下］小出浩之・鈴木國文・保科正章・菅原誠一訳、岩波書店、二〇〇二年、一八頁。
(34) P・ゲイ『フロイト』第一巻、鈴木晶訳、みすず書房、一九九七年、一五〇頁。
(35) S・フロイト「ある幻想の未来」浜川祥枝訳：『フロイト著作集』第三巻、人文書院、一九六九年、三八九頁。
(36) C. 29. 三九四頁。
(37) S・フロイト「文化への不満」浜川祥枝訳：『フロイト著作集』第三巻、人文書院、一九六九年、四七〇頁。
(38) 同書、四七二頁。
(39) 同書、四七八頁。
(40) もっとも、『自我とエス』によって語られた良心・罪責感の起源に関する考察の発展としてこれを読むこともできる。
(41) S・フロイト、前掲、「文化への不満」、四八一頁。
(42) C・カルース「トラウマからの／への出立」下河辺美知子訳：『現代思想：特集＝いま精神分析に何ができるか』一九九六年一〇月号、青土社、一四七頁。訳語の一部を変更させていただいた。
(43) S・フロイト、前掲、「文化への不満」、四八一頁。
(44) こうした傾向に対するレーニンの批判については、L・T・リー「レーニンと大いなる覚醒」白井聡訳：『別冊情況：レーニン〈再見〉あるいは反時代的レーニン』、一三四〜一四七頁、を参照されたい。
(45) S・フロイト、前掲、「文化への不満」、四八一頁。
(46) 同書、四八三頁。

(47) 同書、四七九頁。
(48) A・ヴァリツキ『ロシア社会思想とスラヴ主義』今井義夫訳、未來社、一九七九年、五六頁。
(49) A・ヴァリツキ、前掲、『ロシア資本主義論争』、七〜八頁。
(50) В. И. Ленин, *Полное Собрание Сочинений, изд. 5-ое*, Т. 1, М., 1967, С. 198.『全集』第一巻、(「『人民の友』とは何か」)、一九六頁。
(51) Там же, С. 286.『全集』第一巻、(同書)、二九二頁。
(52) Там же, С. 394.『全集』第一巻(「ナロードニキ主義の経済学的内容」)、四〇四頁。
(53) С. 64. 四三四頁。
(54) 後にソ連から追放されることになる哲学者のニコライ・ベルジャーエフは、十月革命の直後に次のように書いている。「『民衆』への信仰は、常にロシアの知識人たちの臆病さと無力さであったし、自から責任をとり、真理と正義の所在を自分たちで決定することへの恐怖であったのだ。(中略)『民衆』に対するロシアの信仰は、偶像崇拝、人間と人類への跪拝、自分の外部の大衆から偶像を作り出すことであった。(中略)ナロードニキ主義的な意識にとっては民衆が神にすりかわった。民衆への、民衆の福祉や幸福への奉仕が、真実や真理への奉仕にとって替わった。偶像としての民衆のために、民衆への、最も偉大な価値あるものや聖なるものを犠牲にする用意がなされ、あらゆる文化を不平等に基づくものとして撲滅し、あるものすべてを父や祖父の遺産として撲滅する準備がなされた」。
　ここでのベルジャーエフは、ボリシェヴィキ革命をロシア知識人の「臆病」、「無力」、「無責任」の究極的帰結としてきわめて否定的にとらえている。しかし、彼のヴィジョンは敵対者であるはずのレーニンのそれに奇妙にも似通っているように思われる。現に、ここでベルジャーエフは、知識人が「民衆崇拝」を捨てて彼らを啓蒙するという地道な仕事に取り掛からなければならないのだと力説しているが、革命後のレーニンがすべてのロシア人に要求したことは、彼らが持ち前のオブローモフ主義を克服して勤勉になることであった。

　引用部分の出典は、「ロシア幻想の破滅」大山麻稀子・E・ベリャーエヴァ・堀江広行・渡辺圭訳・

『二〇世紀ロシア思想の一断面——亡命ロシア人を中心として——』(研究プロジェクト報告書・第一〇六集) 御子柴道夫編、千葉大学大学院・社会文化科学研究科、二〇〇五年、一五五～一五六頁。

(55) このスタンスが根本的に変更されるのは、資本主義は腐朽し、それはもはや社会の進化に対する完全な桎梏となった、逆に言えば社会主義革命の時機は熟した、という認識を示した『帝国主義』(一九一六年に執筆、出版は翌年) においてである。

(56) レーニンはそれを「経済学的ロマン主義」と呼ぶ。B. И. Ленин, *Полное Собрание Сочинений, изд. 5-ое,* T. 2, M., 1967, C. 119-262.『全集』第二巻 (「経済学的ロマン主義の特徴づけによせて」)、一二～二六四頁。

第三部

(1) B. И. Ленин, *Полное Собрание Сочинений, изд. 5-ое,* T. 33, M., 1969, C. 7.『全集』第二五巻、(「国家と革命」)、四一七頁。以降第三部における同書への参照註は、原書の頁数と大月書店版全集の頁数のみを表記する。

(2) C. 7. 四一七～四一八頁。

(3) C. 8. 四一九頁。

(4) C. 9. 四二〇頁。

(5) C. 12-13. 四二三頁。

(6) 萱野稔人『国家とはなにか』以文社、二〇〇五年、六頁。

(7) C. 18. 四二八頁。

(8) C. 18. 四二八頁。

(9) C. 19. 四二九頁。

(10) C. 17. 四二七頁。

(11) C. 7. 四一八頁。

(12) 馬場宏二「走り書き『国家と革命』」：『現代思想：特集＝レーニン：共産主義と国家』一九七六年二月号、青土社、一四六頁。

(13) 現実問題として、このようなあくまで対等な関係に基づく契約という原則が破られることは間々ある。例えば、典型的には、発展途上国（必ずしも途上国には限らないが）におけるスウェット・ショップ（苦汁工場）においては、労働者の反抗は資本の側が自ら組織する直接的な暴力によって弾圧され、女性労働者はしばしば性的搾取に曝されている。こうした現象に対して、先進国の公的機関は時に「人権問題」を提起して抗議するが、それは資本主義の非人道性を告発するためではなく、形式的に対等な人格同士による契約というブルジョア的原則がこれらの事象において侵害されているためである。

(14) K・マルクス「道徳的批判と批判的道徳」石堂清倫訳：『マルクス＝エンゲルス全集』第四巻、大月書店、一九六〇年、三五五～三五六頁。

(15) C. 8. 四一九頁。

(16) 馬場宏二、前掲、「走り書き『国家と革命』」、一四六頁。

(17) M・ヴェーバー『職業としての政治』脇圭平訳、岩波文庫、一九八〇年、九頁。

(18) C. 10. 四二一頁。

(19) 「所有は盗みである」というプルードンのテーゼに対するマルクスの批判を想起せよ。ブルジョア社会においては、それがいかに法外な印象を与えるとしても、生産手段の私的所有は盗みではない。この点を明確にしたことが、マルクスを他の社会主義理論家から際立った存在ならしめると言えるであろう。

(20) マルクスのこのような認識は、「ヘーゲル法哲学批判序説」に書かれた次のような言葉において端的に現れていると言ってよいだろう。「（ドイツの解放の可能性は、）市民社会のいかなる階級でもないような市民階級の一階級、あらゆる身分の解消であるような一身分、その普遍的な苦難のゆえに普遍的な性格をもち、何か特別の不正ではなく不正そのものを蒙っているがゆえにいかなる特別の権利をも要求しない一領域、もはや歴史的権原ではなく、ただなお人間的な権原だけを拠点とすることができる一領域、ドイツの国家制度の諸帰結に一面的に対立するのではなく、それの諸前提に全面的に対立する一領域、そして結局のところ、社会の他のすべての領域から自分を解放し、それを通じて社会の他のすべての領域を解放することなしには、自分を解放することができない一領域、一言でいえば、人間の完全な喪失であり、それゆえただ人間の完全な再獲得によってのみ自分自身を獲得することができる一領域、このような一階級、一身分、一領域の形成のうちにあるのだ。社会のこうした解消が一つの特殊な身分として存在しているもの、それがプロレタリアートなのである」。K・マルクス『ユダヤ人問題によせて　ヘーゲル法哲学批判序説』城塚登訳、岩波文庫、一九七四年、九四頁。

(21) 岩田弘『資本主義と階級闘争――共産主義Ⅰ』批評社、一九八三年、四九～五〇頁。

(22) もちろん、図0における階級構造の再生産と同様、被搾取者階級の維持再生産が最低限可能な限度でしか搾取はおこなわれ得ない、という鉄則はある。しかしその一方で、資本制における搾取は、資本蓄積に限度がないことに対応して、内在的限度を持たない。それゆえ、特に資本主義の勃興期には、労働者の労働条件が、労働者階級の肉体的・生物的維持再生産が困難になるまでの、奴隷以下の水準に押し下げられることがしばしばあった。また、賃労働者階級の生活水準が向上すると、言いかえれば被搾取者階級の維持再生産が高くつくようになると、資本はつねに、その再生産が比較的低廉におこなうことができる労働力群を世界中から捜し出すことによって、資本蓄積の限界を取り払い続けている。

また、ここでは『国家と革命』に沿った論述をおこなっているために、マルクス学説の階級闘争の理論という側面に的を絞った論理構成を意図している。そのため、資本蓄積の手段としての「絶対的剰余価値の生産」であれ「相対的剰余価値の生産」であれ、それが労働者階級への直接・間接の搾取・抑圧という側面でのみとらえられていることを注記しておく。

(23) L・アルチュセール『哲学・政治著作集Ⅰ』市田良彦・福井和美訳、藤原書店、一九九九年、三九八頁。

(24) レーニンはつぎのように書いている。「ブルジョア・イデオローグ、とくにプチブルジョア・イデオローグは、――議論の余地のない歴史的事実に迫られて、国家は階級対立と階級闘争のあるところにしか存在しないことを、承認せざるを得ない」。C. 7. 四一八頁。

（25）岩田弘『現代国家と革命』現代評論社、一九七一年、九四～九五頁。
（26）C. 37. 四四七頁。
（27）丸山眞男「政治の世界」:『丸山眞男集第五巻』岩波書店、一九九五年、一五〇頁。
（28）C. 13-14. 四二四頁。
（29）このようなレーニンの国家概念および国家権力奪取を至上命題とする革命観は、アントニオ・グラムシ以降のマルクス主義において批判・克服されるべきものと考えられることが多くなった。確かに、ロシア革命とその後の歴史を観察すれば、国家権力の奪取がすべての問題を解決するわけではないことは明瞭に理解される。しかし、グラムシは労働者階級による市民社会におけるヘゲモニーの奪還の必要性を説きはしたが、それによって国家権力の奪取を否定したわけではない。つまり、市民社会の変革を端緒とするにせよ（陣地戦）、国家権力の奪取を端緒とするにせよ（機動戦）、いずれにしても国家権力そのもの（グローバリゼーション以降の時代においては超国家的な権力機構も含められねばなるまい）の性格の変更が社会主義革命にとって不可欠のものとなることに変わりはない。
（30）G・ソレル『暴力論』木下半治訳、岩波文庫、一九六五年、上巻・一一三頁。ちなみに、国家等の政治的組織による「強制力」(force) と純粋プロレタリア的「暴力」(violence) という二つの概念によって〈力〉の質的差異を論じ、ボリシェヴィキ革命に対して賛美を惜しまなかったソレル（一八四七～一九二二年）の思考は、レーニンの思考に限りなく近いものであるように思われる。
（31）C. 10. 四二一頁。
（32）C. 18. 四二八頁。さらに、C. 42. 四五二～四五三頁にも同様の表現が見られる。
（33）ここで「特殊」を示す原語には особый、「公権力」の「公」を示す原語には общественный が、それぞれ充てられている。前者には「個別的な、特殊な役割を持った」というニュアンスがあり、後者は普通「社会的」と訳出される言葉である。
（34）Hannah Arendt, *The Origins of Totalitarianism*, Harcourt Brace & Company, New York and London, 1968, p.126. H・アレント『全体主義の起原２』大島通義・大島かおり訳、みすず書房、一九

八一年、七頁。

(35) C. 9. 四二〇頁。

(36) C. 18. 四二八頁。

(37) C. 26. 四三六頁。

(38) C. 25. 四三五～四三六頁。

(39) C. 97-98. 五〇八頁。

(40) C. 34. 四四四頁。

(41) Ernesto Laclau and Chantal Mouffe, *Hegemony and Socialist Strategy: Towards a Radical Democratic Politics, Second Edition*, Verso, London and New York, 2001, p.10. E・ラクラウ＝C・ムフ『【復刻新版】ポスト・マルクス主義と政治――根源的民主主義のために』山崎カヲル・石澤武訳、大村書店、二〇〇〇年、一八頁。

(42) *Ibid.*, p.11. 一九頁。

(43) *Ibid.*, p.19. 三二～三三頁。

(44) 岩田弘『資本主義と階級闘争――共産主義Ⅰ』、一八五頁。

(45) C・シュミット『現代議会主義の精神史的地位』稲葉素之訳、みすず書房、二〇〇〇年、七八～七九頁。

(46) C. 39. 四五〇頁。

(47) C. 42-43. 四五二～四五三頁。

(48) Alexander Rabinowitch, *The Bolsheviks Come to Power: The Russian Revolution*, Edited by Martin A. Miller, Blackwell Publishers, Massachusetts and Oxford, 2001, p.108.

(49) L・D・トロツキー、前掲、『ロシア革命史』、第一巻、主に第七章および第一三章に詳しい。

(50) 岩田弘『資本主義と階級闘争――共産主義Ⅰ』、八七頁。

(51) C. 50. 四六〇頁。

(52) C. 50. 四六〇頁。

(53) 『国家と革命』の中に、二元論批判と一元論を示唆する記述は、いくつも見出すことができる。例えば次のようなもの。「マルクスには、『新しい』社会を考え出し夢想したという意味でのユートピアニズムは微塵もない。否、彼は旧社会**からの**新社会の誕生、すなわち第一のものから第二のものへの過渡的諸形態を、自然史的過程として研究しているのである」。[傍点強調原文] C. 48. 四五八頁。

(54) C. 60. 四七〇〜四七一頁。

(55) C. 43. 四五三〜四五四頁。

(56) ルイ・アルチュセールが詳細に論じているように、ルソーの企てる「自然状態への回帰」とは、正確には、社会契約による「自然状態への漸近的接近」にほかならず、ひと度「社会状態」へと落ち込んだ人類が再び完全に「自然状態と一致」することはもとより不可能な試みであった。(L・アルチュセール「〈社会契約〉について」:『マキャヴェリの孤独』福井和美訳、藤原書店、二〇〇一年、参照)これに対して、レーニンの描く新秩序の構想は、回帰的側面を一切持たないゆえに、現状の人類があるべき状態と完全に一致することが企てられている。

(57) C. 43-44. 四五四頁。

(58) C. 75-76. 四八五頁。

(59) ここの「民主制」は原文では демократия、つまり democracy であり、「民主主義」とも「民主制」とも訳出することができる。ここでは、両方の意味が含意されているように思われる。特に、二番目の文の主語は、「思想」としての「民主主義」よりも「制度」としての「民主制」という含みが大きいと思われる。『国家と革命』では демократия (デモクラシー) と демократизм (デモクラティズム) という二つの語彙が用いられており、原則的に前者は「民主制」、後者は「民主主義」と訳出することとした。

(60) C. 83. 四九二頁。

(61) C. 102. 五一二頁。

(62) C. 91. 五〇一〜五〇二頁。

(63) C. 120. 五三三頁。
(64) C. 118. 五三一頁。
(65) Susan Buck-Morss, *Dreamworld and Catastrophe: The Passing of Mass Utopia in East and West*, The MIT Press, Cambridge, Massachusetts and London, 2000, p.22-24. S・バック＝モース『夢の世界とカタストロフィ』堀江則雄訳、岩波書店、二〇〇八年、二七〜二九頁。
(66) *Ibid.*, p.25. 同書。
(67) 木村敏『時間と自己』中公新書、一九八二年、八六〜八七頁。
(68) 同書、一〇七頁。
(69) 同書、八七頁。
(70) 同書、一三三頁。
(71) 同書、一三四頁。
(72) 同書、一四七頁。
(73) 同書、一三五頁。

おわりに

(1) W・ベンヤミン『歴史哲学テーゼ』第九テーゼ参照。

あとがき

今日、レーニンという人物について、いささかなりとも肯定的な論調でものを書くことがどれほど時代の主潮に反しているか、ということを私が知らないわけではない。例えば、フランスの歴史家クルトワ＝ヴェルトらによる『共産主義黒書』は、邦訳もされているが世界的に広く読まれている。

この本の編者であるクルトワが前提している平板な歴史観についてはここではあえて問わないでおこう。この本の主たる内容、つまり、かつて一部の人びとから無批判的に讃えられた「共産主義」の仮面を剝がし、そこで実際に何が起こっていたかを明らかにする作業は、それ自体非常に重要なことである。だがその一方で、この種の作業を経ることによって何を歴史の教訓として現在に対峙し、より良い（あるいは少なくともマシな）世界をつくり出すための導きとするのか、ということはまた別の問題である。社会主義を標榜するほとんどの国家は消滅ないし実質的に崩壊したという紛れもない状況のなかで、マルクス主義や社会主義革命は思想的にも実践的にも誤ったものであると宣言し、それをナチズムにも劣らない世界で最も憎むべきものであると断じたうえで、新自由主義化した資本主義や多くの国々でおよそ健全に機能しているようには見えない議会制民主主義を全面肯定することが正義であると結論すれば（くりかえせば、この結論は世界史の趨勢そのものが出しているものと寸分違わない）、歴史の教訓は正しく学ばれたことになるのだろうか？　私はそうは思わない。

　ところで、スターリンはそれを聞く者に恐怖を催させる箴言をいくつか遺している。それらはしばしばある意味で本質を衝いているのでそれだけ一層恐ろしい言葉なのだが、そのうちのひとつにつぎのようなものがある。いわく「一人の死は悲劇だが、数千・数万の死は統計だ」、と。大量殺戮の時代としての二〇世紀と、この時代がもたらした精神の一部分の麻痺状態とを的確に言い当てている言葉である。

　そして、現在マルクス主義・共産主義思想を単純に断罪し、これを世界で最も憎むべきものとして認知させようとしている人びとの実際の思想的原則は、この言葉に集約される。なぜなら、今日声高に主張されている断罪の言説の多くが拠って立つ根拠は、それに関して何人の人が死んだか、その犠牲者はナチズムによるそれよりも統計的に多かった、ということ以上のものではないからだ（ついでに言えば、ナショナリズムや宗教に関連してこれまで何人の人が死んだというのだろうか？　こうした問い掛けが詭弁に聞こえるとすれば、それは統計による思想の強度の判定という考えそのものが詭弁だからである）。人権・人道の騎士たる反共主義者と全体主義的政治機構の首領は、暴力による人間の死という問題を統計的にしか考えることができない、という点で奇妙にも一致している。

　こうした状況が、前世紀から引き継がれ、今なおわれわれが捕われている精神的な頽廃状況であるのだろう。レーニンという人間もまたこうした残酷さから無縁ではなかったことは確かではある。しかし、今日敢えて彼の名を持ち出すことによって私が問うてみたかったのは、思想の強度は統計的に示される結果だけで測られるべきものではないのではないか、というこことでもあった。この目論見が実現して説得力を持ち得ているか否かは、読者諸賢の判断に俟つほかはない。

本書の成り立ちについて述べておきたい。本書の大本となった原稿は、第二部をのぞいて、二〇〇三年に私が当時在籍していた一橋大学大学院社会学研究科に提出するための修士論文として書かれたものである。その後、この論文に折を見て改訂を加え、いくつかに切り分け、雑誌などに発表してきた。発表の機会を与えてくれた関係者の方々にこの場を借りてお礼申し上げる。そして、今回一冊の書物に編むに当たって、全般的に加筆・修正を施した。これらの過程で読みやすく文意を明瞭にすべく努力したつもりではあるが、もともとが学位論文であるという性格を持つゆえに、いささか迂遠で回りくどいと感じられる箇所があるかもしれない。読者の寛恕を請う次第である。

＊

最後に、本書が成るにあたってお世話になった方たちに謝辞を捧げさせていただきたい。私の指導教員である加藤哲郎一橋大学大学院教授は、なかなか明瞭な形を取ることのできない私の研究を温かく見守り、的確な助言を与え、そして励まして下さった。厚くお礼申し上げます。情況出版の大下敦史社長からは、レーニンというおよそ流行っていないテーマを戴いた論文に発表の機会を一度ならず与えていただいた。深く感謝しております。そして、いまは選書出版部を離れてしまわれたが、私の原稿に目を留めて本書の執筆を勧めて下さったのは、講談社の井上威朗氏であった。駆け出しの研究者にすぎない私に信頼を寄せて仕事を任せてくれた井上氏がいなければ、この本が出版されることはなかった。厚くお礼申し上げます。井上氏の後任として所澤淳氏が本書の担当を務めてくれた。所澤氏はなかなか捗らない作業に忍耐強く付き合ってくれ、心強い励ましを下さった。深く感謝申し上げます。そして、本書に帯を寄せて下さった中沢新一多摩美術大学教授に、厚くお礼を申し上げます。驚くべき書物である『はじまりのレーニン』（岩波現代文庫、二〇〇五年）をきっかけのひとつとしてレーニン研究に向かった者としては、その著者から推薦文をいただけるのは無上の喜びです。

本書は、いままで私と親しくお付き合いしてくれた数多くの先輩方、同輩・後輩の友人たちとの知的交流の産物にほかなりません。これら多くの人々のお名前をここで挙げることはできないけれども、厚くお礼を申し上げます。

そして、父と母に。

二〇〇六年一二月

※本書は、日本学術振興会特別研究員制度および特別研究員研究奨励費による研究成果の一部である。

付録　レーニンの生涯

ヴラジーミル・イリイチ・レーニン（一八七〇～一九二四年）は、マルクス主義者の革命家、ソヴィエト連邦の父である。この体制は、やがて国家の揚棄（それは資本制と階級の廃絶を前提とする）に至るはずのものとして構想された。実際のソ連は、こうしたヴィジョンを実現できず、極度の国家主義に落ち込んでしまう。とはいえ、このような途轍もない目標が現実の体制を裏づけとして掲げられたということ、それが世界中に与えた衝撃は、たとえば芥川龍之介の次のような詩句にも端的に表れている。

君は僕等東洋人の一人だ。
君は僕等日本人の一人だ。
君は源の頼朝の息子だ。
君は――君は僕の中にもゐるのだ。

階級対立と戦争に引き裂かれた世界を根底から救済しようとする人物が立ち上がったという事実の衝撃、そしてその人物と観念のみならず遺伝子の次元でつながりたいという作家の狂おしいまでの願望が、ここにはほとばしっている。

芥川は、次のように続けている。

誰よりも十戒を守つた君は

誰よりも十戒を破つた君だ。

この一節は、レーニンの思想の神秘を見事に言い当てている。彼は「十戒」（＝マルクス主義思想）に忠実であったがゆえに、誰よりもそれを柔軟に扱うことができた。まさに、このような逆説に満ちた神秘があったからこそ、レーニンの言葉は特別な力を帯び、言葉は彼を実際の権力の座へ押し上げた。本来的な意味で「レーニンを読む」とは、とどのつまり、この数奇なドラマを注意深く観察することにほかならない。

1　革命家レーニンの形成とロシアの革命運動

レーニン（本名、ヴラジーミル・イリイチ・ウリヤノフ）は、一八七〇年、ヴォルガ河畔の街、シンビルスク（現、ウリヤノフスク）にて生を享けた。父イリヤは、物理と数学を修めた教育者であり、教育上の功績から貴族の地位を与えられた名士であったが、進歩的な自由主義者として、子供たちに貧困や階級といった社会問題へと目を向けるよう勧めたと伝えられる。

幼少時から成績優秀で神童と呼ばれたヴラジーミル・ウリヤノフに転機が訪れるのは、一八八七年のことだった。サンクト・ペテルブルク大学で学んでいた兄アレクサンドルが、皇帝アレクサンドル三世の暗殺未遂事件に連座した廉で逮捕、絞首刑に処されるのである。この兄を敬愛すること深かったヴラジーミルにとって、事件は深刻な衝撃を与え、彼が支配体制を全面的に否定する革命家へと自己形成することになるきっかけになったと見られる。同年、カザン大学法学部へ入学するも、学生運動に関与したためにわずか四か月で退学処分を受けるが、この頃、マルクスの『資本論』に初めて触れるなど、革命家としての土台が形成されていった。その三年後の一八九一年、ヴラジーミルは、ペテルブルクにて司法試験を受験、全くの独学であったにもかかわらずトップ合格を果たした。一八九三年、ペテルブルクで弁護士業を開業すると同時に、マルクス主義者のサークルと接触し、労働運動に関与し始める。革命家「レーニン」がここに生まれた。

ここで、当時のロシアにおける革命運動の歴史的文脈に触れておこう。ロシアにおける革命運動の起源は、古くは一八二五年の「デカブリストの乱」に遡る。これは、ナポレオン戦争（一八一二年）の成り行きからパリの空気を体験した青年貴族たちがロシアの後進性を痛感し、政治改革を要求した事件であったが、即座に鎮圧された。その後も、ロシアの知識人たちは、専制政治の改革、農奴の解放等の近代化を求め続けるが、帝政が農奴解放に踏み切るのは、ようやく一八六一年のことであった。しかし、農奴解放以降も、帝政に対する知識層の非難が止むことはなかった。というのも、解放令によって農奴は領主による人格的支配から解放されはしたものの、耕作地を買い取るために莫大な負債を背負わされたからである。

　こうして、帝政に対する非妥協的な批判勢力が形成されてくるが、その中心となったのが、**ナロードニキ主義**者（人民主義者）たちであった。ナロードニキ主義とは、第一義的には、知識層の生活と知識が農民をはじめとする、貧苦のなかにある人民の犠牲の上に成り立っていることを自覚し、この人民への負債を返さなければならない（人民の解放を通じて）という考えを指すが、これに独特の歴史哲学を与えたのは、アレクサンドル・ゲルツェンであった。ゲルツェンは、デカブリストの遺志を引き継ぐことを誓い社会主義と革命思想に傾倒するが、パリへ亡命、一八四八年革命とその挫折を身近に目撃する。この経験は、ゲルツェンの西欧に対する幻想を打ち砕き、ロシアが歩むべき発展のヴィジョンを与えた。すなわち、ロシアは西欧と同じ道筋を通って発展するべきではない。ロシアは近代的発展が遅れているからこそ、近代西欧がはまり込んだ〈俗物主義〉の泥沼を避けて、社会主義へと到達することができる。要言すれば、ロシアの農村部でまだ強く残存している共同体的伝統を西欧の社会主義思想に結合することによって、資本主義的発展を経ることなく社会主義へと至ることができる、というヴィジョンを彼は示した。

　この歴史観と「人民への負債の返却」という倫理的当為が結びついたとき、それは当時増大しつつあった雑階級知識人（貴族階級出身でない高学歴者・学生）を捉え、積極的な行動を生ぜしめた。一八七四年、数千人に上る青年男女たちが、職人や人夫に身をやつして農村に赴き、革命の宣伝を行なったのである。しかし、この試みは惨憺たる失敗に終る。呼び掛けが農民に受け入れられるどころか、「《ツァーリを倒せ》などと罰当たりなことを言う怪しい連中」として当局に通報される始末であった。

この挫折が転機となって、ナロードニキ主義の運動は、政府との直接闘争、すなわちテロリズムへと傾斜する。彼らは何件もの要人暗殺および暗殺未遂事件を起こすが、その頂点を印したのが、一八八一年三月一日の皇帝アレクサンドル二世暗殺事件である。革命家たちはツァーリズムの譲歩を期待したが、帝政はこれに対し改革計画の撤回と弾圧の強化をもって応えた。レーニンの兄、アレクサンドルの革命運動への参加とそれによる刑死は、強まった弾圧を背景にテロリズムが沈静化に向かうなかで起きた出来事であった。

2　マルクス主義の受容

いま見たように、一九世紀後半のロシアにおける革命思想の主流は、復古革命主義の要素を持つナロードニキ主義であった。ところがレーニンは、その精神形成においてナロードニキ主義の革命家として大義に命を捧げた兄から強い影響を受けているにもかかわらず、まさにこの「兄の道」を清算しようとすることから、理論家としてのキャリアを開始している。すなわち、マルクス主義の導入である。

一八七二年に『資本論』第一巻が翻訳されるなど、ロシアのインテリゲンツィアはマルクスの理論にもっとも早く注目した人々であった。そうしたなか、マルクス学説を経済発展の歴史哲学の方向へ引きつけて解釈し、封建制から近代資本制へ、近代資本制から社会主義社会へ至るという筋道が社会発展の唯一の経路であり、その過程は歴史的必然性によって貫かれているという主張へと一意的に練り上げたのは、ゲオルギー・プレハーノフであった。こうした歴史発展論は、「史的唯物論」ないし「**唯物史観**」と呼ばれる。こうした歴史のヴィジョンの確立は「マルクス思想のマルクス主義化」と呼ばれるにふさわしいものであったが、この理路は、当然ナロードニキ主義の歴史哲学と衝突するものであり、ゆえに両陣営は激しい論争を繰り広げた。

レーニンは、一八九四年に著書『〈人民の友〉とは何か、そして彼らはどのようにして社会民主主義者と闘っているか？』によって理論家としての頭角をあらわすが、ここで言う「人民の友」とはナロードニキ主義者を指し、「社会民主主義者」とはマルクス主義者を指している。この著作で注目すべきは、彼がナロードニキ主義を資本主義の発展によって没落せざるをえない小生産者階級のイデオロギーであると規定し、批判し去っていることである。レーニンがこうした規定を下した背景には、ナロードニキ主義思想が、先に見た過程を経ることで戦闘的革命思想としての性格を弱め、当時にあっては、ロシアにおける資本主義の発展がもたらす様々な歪みを指摘し、この歪みを是正すべくツァーリ政府に勧奨するという立場を採る人々の思想的根拠となっている、という事情があった。レーニンがここに見てとったのは、かつての革命思想の残骸、専制政府を根本から否定するのではなく、そこから「善政」を引き出そうと懇願するという「非革命的な」姿であった。

　興味深いのは、レーニンがここで優れてマルクス的な階級論の視角からナロードニキ主義を批判していることである。ナロードニキ主義は小生産者階級のイデオロギーであると規定しているからといって、それは、すべてのナロードニキ主義者が実際に小生産者であると言っているのではない。言い換えれば、レーニンは、ある人間の置かれた客観的な階級所属の状況と、その人間の持つイデオロギー（主観性の次元）とを機械的につなげていない。客観性の次元と主観性の次元との単純な照応関係を想定するのではなく、個々のナロードニキ主義者が何を生業としているかにかかわらず、その観念形態は、大資本の発展によって没落しつつある、したがって資本主義のさらなる発展を望まない階級が必然的に持つそれである、とレーニンは指摘している。こうした階級とイデオロギーとの関係についての分析は、階級意識なき階級であるフランスの分割地農民が、ルイ・ボナパルトを自らの利害の代表者というよりむしろ君臨する支配者として選び出したのだと論じたマルクスの複雑な階級分析（『ルイ・ボナパルトのブリュメール一八日』）を髣髴とさせる。このことは、レーニンのマルクス読解が、この時点においてすでに独特の鋭さと深度をもっていたことを証明している。『〈人民の友〉とは何か』以後のレーニンは、『経済学的ロマン主義の特徴づけによせて』（一八九七年）、そしてこの時期の著述の集大成と言うべき『ロシアにおける資本主義の発展』（一八九九年）等の著作によってさらなるナロードニキ主義批判を続ける。これらの仕事における議論の狙いは、「ロシアにおいて資本主義が発展することは望ましくない」、あるいは「世界市場への参入であまりにも後れをとってしまったロシアの資本主義がこれ以上発展することは不可能である」といったナロードニキ主義者の命題に対して、「現にロシアにおいて資本主義は発達しつつある」ことを論証して、論敵の命題の無意味性を示すことにあった。そして、こうした「資本主義の現実性」に焦点を当てた議論の意図は、資本主義の発展それ自体を言祝ぐことではなく、封建制から資本制へ、資本制の十分な発展から（革命を経て）社会主義社会へ至るという正統派マルクス主義の想定する社会発展の必然的で普遍的な軌道を、ロシア社会も西欧と同様にたどりつつあることを、証明することにあった。

3　独自の革命理論へ――『何をなすべきか？』の世界

こうした理論闘争を展開するあいだに、レーニンは逮捕・流刑を経験している。のちに伴侶となるナジェージダ・クループスカヤらとともにレーニンは「労働者階級解放闘争同盟」という組織を一八九五年に結成していたが、同年末にメンバーの大半が逮捕され、一八九七年一月にレーニンはシベリア流刑に処される。一九〇〇年に刑期を終えたレーニンは、スイスへ向かう。当地で、「労働解放団」を率いていたプレハーノフらとともにマルクス主義に則った政治新聞『イスクラ』を刊行するためであった。

この間、ロシアのマルクス主義勢力を糾合しようとする動きは、ロシア社会民主労働党の結成としてあらわれていたが、それがどのような性格の党となるのか、情勢は流動的であった。こうしたなかでレーニンが著したのが、『何をなすべきか？』（一九〇二年）である。本書は、政治的自由を欠く専制国家において革命政党がいかなる組織であるべきかを説く組織論であったと同時に、ロシアのみならず当時の西欧のマルクス主義全体が直面していた難局に対峙するものであり、また同時に、この難局の打開策を理論的に示すことにおいて、思想家レーニンの比類なき個性を露わにするものでもあった。

『何をなすべきか?』によれば、帝政ロシアという条件下で有効な革命運動を遂行する党は、職業革命家を主力とする上意下達の中央集権的組織、もっと言えば、末端のメンバーにとっては誰がメンバーであるのかわからないような秘密結社的なものであらねばならない。なぜなら、強力な秘密警察を持つ一方、市民に政治的自由を与えず、議会も憲法すらもない権威主義国家においては、このような組織でなければ活動しようがないからである。

そして、ロシアのみならず当時のマルクス主義全体が直面していた難局とは、「革命か、改良か」という問いに集約される。マルクス主義の父祖(マルクス＝エンゲルス)が、生前改良主義を軽蔑し、暴力革命にシンパシーを懐いていたこと、また、結局は階級支配の道具である国家の最終的な廃絶を展望していたことは間違いない。しかしながら、彼らは、具体性の高い革命のプログラムを遺さなかった。そして、西欧諸国では、一九世紀後半から二〇世紀にかけて、国家の統治機構の洗練度が高まるにつれて、民衆蜂起型の革命がますます困難になる一方、労働組合と結びついたマルクス主義政党は、代議制民主主義の枠内でその勢力を拡大しつつあった。このような状況の変化のなかで、あらためて問われたのが、「社会主義革命とは何か?　それは何の役に立つのか?」という事柄であった。革命という観念が労働者階級の解放の事業に具体的指針を与えないのであれば、それは無意味な空語にすぎないのではないか、そうだとすれば、革命についての無駄なお喋りはやめて、既存の制度内での一歩一歩の前進・改良にマルクス主義者は専心するべきではないのか。

革命についてのマルクス＝エンゲルスの基本見解は知れ渡っていたのだから、こうした率直な疑問を口にするのは、マルクス主義者にとって憚られる事柄であった。しかし、ついに一八九九年、ドイツ社会民主党の有力者、エドゥアルド・ベルンシュタインが『社会主義の諸前提と社会民主主義の任務』を刊行し、論争は不可避のものとなった。ベルンシュタインは、「運動がすべてであり最終目標は無である」と主張して、マルクス主義の教義から革命を取り除くこと（＝修正）を提唱したのである。これに対しカール・カウツキーやローザ・ルクセンブルクといった有力者が革命擁護の立場から批判を加えた論争を、「**修正主義論争**」と呼ぶ。

同様の構図の問題は、フランスでも発生していた。社会主義者のアレクサンドル・ミルランが一八九九年にブルジョア政治勢力によるルソー内閣に大臣として入閣したところ、これの是非をめぐって社会主義勢力は激しい内部対立に陥った。ここでも問題は、革命の大義をあくまで保持し、現状の支配体制に対して非妥協的に対立するのか、それとも非妥協的な姿勢を取り下げて体制内での改良を進めるのか、というところにあった。

運動のこうした国際的文脈を踏まえつつ、レーニンは、非妥協的な革命主義を熱烈に擁護した。レーニンが直接の標的としたのは、「経済主義」と彼が呼ぶ思考であったが、経済主義とは、帝政ロシアにおける市民の政治的無権利状態に鑑みて、労働者の闘争は、政治性を帯びるよりも経済的条件の改善をもっぱら目標とすべき、という考え方であった。レーニンは、この潮流を修正主義のロシア版と見なした。

彼は、これを批判するにあたって、「自然発生性」と「意識性」という概念を用いている。すなわち、資本家による搾取に対する抵抗として現れる労働者の経済闘争は「自然に」生じる。これに対して、資本制社会において資本家階級と労働者階級の利害が根本的に相容れない、したがって労働者階級が解放されるためにはこの社会の支配構造が破壊されなければならないことを認識し、そこからこの社会を全面的につくり変える（＝革命）ことへと向かう闘争が、「意識性」をもった闘争である。社会主義者たる者、自然発生的な闘争を意識的な闘争へと高めることを自らの任務とすべきであるにもかかわらず、「経済主義者」たちは、自然発生的闘争への一意専心を説くことで「自然発生性への拝跪」に陥っている、とレーニンは批判する。

それでは、革命を志向する「意識性」は、どのようにして労働者にもたらされるのか。ここでレーニンが展開したユニークな議論が、「**階級意識の外部注入論**」である。彼は次のように言う。

それら［＝組織的なストライキ］は、労働者と雇主との敵対の目覚めを表示するものであったが、しかし労働者は、自分たちの利害が今日の政治的・経済的体制全体と和解しえないように対立しているという意識、すなわち社会民主主義的意識を持っていなかったし、また持っているはずもなかった。（中略）この意識は外部からしかもたらしえないものだった。労働者階級がもっぱら自分の力だけでつくり上げることができるのは、組合主義的意識、すなわち、組合に団結し、雇主と闘争をおこない、労働者に必要なあれこれの法律の発布を政府から勝ち取るなどのことが必要だという確信にすぎない。

（『何をなすべきか？』第二章）

この「社会民主主義的意識」（＝革命的意識）は、雇主と賃労働者というまさに資本主義的な関係の「外から」しかもたらされえない。なぜなら、この意識は、当事者が置かれている当の関係そのものを破壊し乗り越えることへと向かう意識だからである。このような「外部」を持ち込むのは、社会主義者のインテリゲンツィアであるとひとまずは措定される。

以上が「階級意識の外部注入論」の要諦であるが、かかる論理は、きわめてエリート主義的であるという批判を頻繁に浴びてきた。要するに、無学で近視眼的な（と十把一絡げに捉えられた）労働者をインテリ（と自ら思い込んでいる）の革命家が「指導」の名の下に支配し、鼻面を引き廻すことを正当化する理論である、と。かかる事態が実際に世界中の社会主義運動で生じてきたことはたしかであるが、しかし、それでもなお、レーニンがここで提示している論理は、きわめて鮮烈なものだ。テクストを注意深く読めばわかることだが、レーニンは、労働者が真正の社会主義イデオロギーの構築に参加する力をもたないなどとは述べていない。「労働者がこのイデオロギーをつくり上げる仕事に参加しないということではない。ただ彼らが参加する場合には、労働者としてではなく、社会主義の理論家として、つまりプルードンやヴァイトリングのような人として参加するのである」(同書)。

つまり、レーニンにおける「外部」の概念は、その担い手のいかなる社会的属性(労働者である、知識人である、といった属性)にも基づけられず、還元もされない。無論、この「外部」は、資本制社会の「内部」の矛盾の根源へと遡行すること(この遡行はマルクスによって基本的にすでに道筋がつけられた)によって、見出される。レーニンは「新しいタイプの党」の青写真を、そのようなものとしての「外部」を体現し、大衆をしてこの内的矛盾への遡行から「外部」へと超出することに向かわしめるものとして、打ち出したのであった。

4 雌伏の時から第一次大戦へ

上述のような党組織のヴィジョンをレーニンは提出したわけであったが、他のマルクス主義者たちが皆これを受け入れたわけではなく、綱領や規約をめぐってロシア社会民主労働党は一九〇三年に分裂し、レーニン率いる**ボリシェヴィキ派**とユーリー・マルトフらのメンシェヴィキ派に分かれて対立する。

このようにマルクス主義者たちが分派抗争に陥るなか、日露戦争による混乱を背景に一九〇五年には都市部でゼネラル・ストライキが、農村部では多数の騒乱が発生した(第一次ロシア革命)。レーニンら亡命社会主義者たちは続々帰国し、闘争を指揮した。しかし、一連の事件は帝政を大いに揺るがしたものの、譲歩の結果引き出されたのは、弱い権限しか持たない国会（ドゥーマ）と欽定憲法にすぎなかった。皇帝ニコライ二世はピョートル・ストルイピンを首相に任命したが、辣腕の宰相は、革命運動を強硬に弾圧すると同時に、体制の近代化を図った。

こうしたなかレーニンは、再び国外脱出を余儀なくされ、亡命先のスイス等からロシアでの運動を指揮するという立場に置かれる。この時代に書かれた重要なテクストとしては『唯物論と経験批判論』（一九〇九年）があるが、本著作は、マルクス主義の唯物論にオーストリアの物理学者エルンスト・マッハらが唱導した経験批判論を接合しようとする試みを、ブルジョア思想に譲歩するものとして痛罵したものである。この論争は、哲学上の論争であったと同時に、政治路線をめぐる党内抗争でもあった。このように、一九〇五年革命後の運動の困難期に直面して、レーニンは、情勢分析と何時果てるともしれない党派抗争に忙殺されていた。

状況を一変させたのは、第一次世界大戦の勃発（一九一四年）であった。史上初の総力戦として戦われたこの戦争は、ヨーロッパ各国でナショナリズムをかつてない形で高揚させたが、このことは、国際社会主義運動にも重大な影響を及ぼすこととなった。

第二インターナショナルに結集していたヨーロッパ諸国のマルクス主義者たちは、帝国主義列強が全面衝突する戦争の発生を事前に予期していた。こうした戦争は、資本制の内的矛盾を国家の対外膨張によって、ひいては労働者階級同士の殺し合いによって疑似的に解決しようとする政策として捉えられていた。ゆえに彼らは、それが起こることを防ぐために力を尽し、それでも起こってしまった際には、戦争の早期終結を図り、戦争による危機を利用して社会主義革命の実現に向けて努力することを繰り返し約していた（一九〇七年のシュットガルト決議、一九一〇年のコペンハーゲン決議、一九一二年のバーゼル決議）。

しかしながら、それが実際に勃発すると、国会で多数の議席を持ち第二インターナショナルの中核を成していたドイツ社会民主党は、戦争が引き起こしたナショナリズムのうねりに圧倒される形で、戦争協力へと舵を切ってしまう。これを受けて、他国の多くの社会主義政党もそれぞれの政府を支持する立場へと廻り、ここに国際社会主義運動は一旦壊滅したのである。

ドイツ社会民主党が裏切ったとの知らせを受けたとき、レーニンは茫然自失して、にわかにはそのニュースを信じられなかったという。しかし彼は、それまでの運動がすべて水泡に帰した（しかも、同志の裏切りによって）という怒りと絶望から立ち上がって、『資本主義の最高の段階としての帝国主義』（一九一七年刊行）を書き上げる。大戦が勃発する以前から、ルドルフ・ヒルファディングによる『金融資本論』（一九一〇年）やローザ・ルクセンブルクの『資本蓄積論』（一九一三年）が刊行されるなど、金融資本の巨大化による独占資本の形成と、それがもたらす帝国主義政策による列強間の緊張の高まりについて、マルクス主義者のあいだで関心が高まっていた。レーニンは、これらの議論を踏まえつつ、自由競争から独占への移行、商品輸出から資本輸出への移行を資本主義の変質を典型的に示す現象として捉え、この変質が国家をして資本の輸出先を求める領土分割のための闘争（＝帝国主義戦争）へと不可避的に走らしめる、と論じる。そして、こうした新段階の資本主義を「死滅しつつある資本主義」として特徴づけた。

以上の展望からレーニンは、「帝国主義戦争を内乱へ」と転化することを呼び掛ける。言い換えれば、労働者階級が外国の労働者階級へと向けている銃口を自国の支配層へと向け替えることを呼び掛けたのであった。

5　ボリシェヴィキ革命

一九一七年二月、事態は急変する。ペトログラード（＝サンクト・ペテルブルク）で戦争による食糧難から発生したデモに対して警官隊が発砲したことをきっかけに軍隊の各部隊が次々と蜂起を開始し、皇帝ニコライ二世は退位を迫られる。このときもはや皇位を継ごうとする者はあらわれず、帝政ロシアはここに終焉を迎えた（二月革命）。

かくしてナロードニキ系の社会主義者、アレクサンドル・ケレンスキーを首班に戴く臨時政府が成立する。レーニンは、四月、亡命先のスイスから帰国、即座に『四月テーゼ』を発表し、臨時政府との非妥協、即座の停戦、社会主義革命への即座の移行等の方針を示す。「社会主義革命への即座の移行」という方針は、メンシェヴィキの面々はもちろんのこと、ボリシェヴィキの同志たちをも仰天させるものであった。なぜなら、マルクスが『資本論』において述べた「もっとも進んだ資本主義国において社会主義革命は可能となる」という命題が、マルクス主義者たちの思考方法を強固に規定していたからである。言い換えれば、当時のロシアが、社会主義革命を実行すべき段階にあるとは、ほとんど誰も考えていなかったのであった。

驚くべきは、レーニンの思考の柔軟性と勁《つよ》さである。初期の諸著作について見たように、そもそも彼は正統派マルクス主義の**唯物史観**に対して際立って忠実であった。そこから見れば、レーニンは異端的な立場へと移行しているように映る。しかし、レーニンは、あくまで「正統派」の立場に徹底的に固執する。すなわち、具体的に言えば、レーニンがいま採っている立場こそ真にマルクス主義的な立場なのだということを、マルクス=エンゲルスの言説から証し立てようとするのである。レーニンの理論は、様々な立場を移動したが、「正統派」という立場から離れようとは決してしなかった。

ここに彼の思考の独特の強靱さがある。多くの場合、正統派の強みはその権力にあり、他方、異端派の強みは道義や論理の上での正しさにある。ニーチェのような見方をするならば、異端派の「正しさ」は、現実的な無力さの代償であり、人間的感情としてのルサンチマンの結晶である。しかるにレーニンは、決して「無力で正しい」異端派になろうとはしなかった。その意味で、レーニンは人間的感情から解放された人物であり、このことが彼の思想と実践における「正統派の冒険」（チェスタトン）を可能ならしめている。もっとも頑固な正統派であるがゆえにレーニンの思考はもっとも自由で柔軟であり、それは「強力かつ正しい」立場に立とうとする不断の運動から生じたものにほかならなかった。

ケレンスキーの臨時政府は、国民から切望されていた戦争撤退を実行せず、不安定な情勢が続くなかで、一九〇五年の革命から生まれた直接民主制のシステムであるソヴィエトと臨時政府との間で二重権力状態が生まれる。そこでレーニンは、「すべての権力をソヴィエトへ」と訴え、そしてこのソヴィエトを起点とする武装蜂起を通じてボリシェヴィキが権力を奪取するよう同志たちに働きかける。その過程で執筆されたのが、『国家と革命』（一九一八年刊行）であった。

この著作は、革命の進行中に書かれたというその執筆状況において特異であるだけでなく、来るべき共産主義社会の青写真を出来る限り具体的に描き出そうとしている点において、マルクス主義理論史において際立った存在である。同書は、マルクス＝エンゲルスの国家と革命についての見解に対する学説史的検討を行ない、革命によるプロレタリアートの権力奪取、プロレタリア独裁の段階を経たうえで、資本家階級の抵抗を打ち砕き、長い時間をかけて資本主義、階級を廃絶したならば、国家は徐々に死滅するという理路を確認する。そしてそのうえで、国家が死滅した後の社会像を描き出す。それは次のようなものとして記述されている。

> 国家が完全に死滅しうるのは、社会が「各人は能力に応じて働き、必要に応じて受け取る」というルールを実現するときである。（『国家と革命』第五章）

このとき、国家という強制力がなくとも人々は社会生活の基本的ルールを尊重し、そして能力に応じて自発的に労働するようになる、とレーニンは言う。そしてそのとき、人々の経済的行動の原理が変わってゆくのだから、資本主義の「価値法則」が揚棄される。「ブルジョア的権利の狭い枠組み」は、他人よりも半時間でも余計に働いていやしまいかとか、他人よりももらう給料が少ないのではないかと、人にシャイロックのような冷酷さで計算をさせるのだが、この狭い枠組みは、そのとき克服されるだろう。（同書）

そして、一〇月、反革命の動きも公然化し、事態が緊迫するなかで、ついにボリシェヴィキは蜂起を決行し権力を奪取する。臨時政府は、さしたる抵抗もできないまま、崩れ落ちるように消滅した。かくして、ソヴィエト連邦が成立した。この出来事を、**十月革命**あるいは**ボリシェヴィキ革命**と呼ぶ。

権力奪取後のボリシェヴィキが直面したのは、列強による干渉との戦いと内戦であった。レーニンは、ドイツで社会主義革命が起こることをかねてから期待しており、一九一八年一一月には、実際にドイツ革命が起こるが、翌年一月にはローザ・ルクセンブルクをはじめとする急進左派は弾圧、虐殺され、社会主義革命へと転化することはなかった。ボリシェヴィキは、この過酷な孤立無援の状況を、農民からの穀物の徴発と全工業の国有化を柱とする「戦時共産主義」によってかろうじて持ち堪える。

革命後のレーニンは、最高指導者として新政府を維持することにひたすら忙殺された。そのなかで、一九一八年八月、狙撃され重傷を負う。この後遺症の影響もあると見られるが、レーニンは一九二二年五月に脳内出血の発作を起こし、その後一度は公務に復帰するものの、同年末には再び療養生活に戻らざるをえず、実質的な指導をおこなえなくなってゆく。そして、一九二四年一月二一日、波乱の生涯を閉じた。

その最後の活動期間におけるレーニンは、ソ連主導で再建された第三インターナショナル（コミンテルン）において『共産主義における左翼小児病』（一九二〇年）を発表し、各国の状況に応じて粘り強く徐々に社会主義革命のための努力を重ねることの必要性を説いたが、これは、内戦終結（一九二一年三月）後の新経済政策（＝市場経済への部分的回帰）の実施と、その方向性において軌を一にするものであった。ここにおいても、レーニンの革命への展望の柔軟性は際立っている。

第二次世界大戦後の世界で社会主義圏が拡大するなか、レーニンの思想は、マルクス＝レーニン主義としてソ連ならびに他の社会主義諸国の国是とされた。この「主義」を説明する教科書は膨大な量が書かれたわけだが、今日それらのすべては紙くずと化した。その本質的な理由は、現存社会主義体制が崩壊してしまったことではなく、体系化されたマルクス＝レーニン主義なるものが真の知的関心を呼び起こすものではないという事実にある。特異な柔軟さを持ったレーニンの思考は図式的整理を加えるのが極めて困難な対象であり、それゆえ教義化されたマルクス＝レーニン主義とは、本来無理な加工を施された畸形物にすぎなかった。今日、レーニンの目に見える遺産が消滅したことは、一個の稀有な思想のドラマをありのままに観ることを、われわれにとって可能にしたのである。

解説　《革命のテクスト》の文体

國分功一郎

本書は現代日本を代表する政治学者の一人、白井聡氏の最初の著書である。二一世紀の日本で政治を鋭く語り、そしてまたその数々の著作によって多くの読者を獲得している人物の最初の著書がレーニンを論じたものであったことに人は驚くであろう。確かにこれは素直に驚くべき事実であるように思われる。本書は氏の修士論文がもとになっているという。氏は修士課程においてレーニンを研究していたのである（しかも所属はロシア史ではない）。いかなる確信が氏をレーニン研究に向かわせたのだろうか。それはおそらく本人にも十分には分からないはずである。ただ一つ確実であるのは、その確信が、いま我々が手に取っているこの本を作り出したということだ。だからこそ読者はこの本を読みながら、「なぜいまさらレーニンなのか」と誰もが思う時代に一人の若者をレーニン研究へと向かわせた確信とはいかなるものであったのかとたびたび考えずにはいられない。

本書は精密に組み立てられたストーリーをもっている。一つの推理小説のように、ある謎が最初に提出され、それが最終的に解決される。研究論文なのだからそれは当たり前だと思われる方もいるかもしれないが、ほとんどの研究論文はその結論だけを要約することができるのに対し、小説の結論だけを要約できると考えるひとはほとんどいないと言えば、その意味するところが理解してもらえるだろうか。別の言い方をすれば、本書はおそらくレーニンの著作について新しい「研究成果」と呼びうるものをいくつかもたらしていると思われるが（私はレーニンの専門家ではないので、この点を専門的に評価することはできない）、そのような「研究成果」に本書は還元できないということである。

本書の内容に入る前に、このようにして本書のテクストとしての地位の話をせずにはいられなかったのは、本書がレーニンの書物のテクストとしての地位を徹底的に考え抜いているからである。その点を紹介しながら、本書の内容を少しだけけみておくことにしよう。

本書の最初に提示される謎はレーニンの『国家と革命』が書かれた時期に関わっている。同書は革命のための戦術の書と言われることもあれば、理論的な空想と言われることもある。それに対し白井氏がまず指摘するのは、この本が革命の進行する最中、一九一七年八月から九月にかけて書かれたという実に単純な事実である。この時期は権力が誰の手に転がり込むことになるのかが不透明な時期であった。ならば、権力を欲する革命家がその時期に為すべきこととは、理論書などを書くことではなくて、より実際的な事柄であるように思われる。なのに、なぜレーニンはこんな本を書いているのか。

革命が現に進行しつつある最中に、「真のマルクス主義的国家学説とは何か」、「カウツキーがそれをいかに歪曲しているか」などという問題について熱を上げて議論することは、いかに特殊な歴史・社会の状況にあったとしても、現実政治に対して場違いなものと感ぜられる（四三ページ）。

この謎はあまりに謎めいていてほとんどユーモアにすら達している（私はこの引用箇所をはじめて読んだときに一人で大爆笑したのを記憶している）。戦術の書というにはあまりに回りくどく、アカデミックである。刊行は一九一八年であるから一九一七年の十月革命のプロパガンダとしても十分には機能していない。革命の進行を目の前にしながら、政治家レーニンが空想にふけることができたとも思えない。白井氏はそれ故、この書をさしあたり《革命のテクスト》と呼ぶ。そして『何をなすべきか？』の読解を挟みつつ、その国家理論を子細に検討し、この書物のテクストとしての地位を最終的に確定する結論へと達する（ネタバレになるので結論はここには書かない）。

第七章の末尾で書かれている通り、『国家と革命』という書物が辿った道はあまりに特殊であって、誰かが真似できるようなものではない。それは一つの出来事と名指すことしかできない。だが、同書にはまた範例ともなりうる側面もあるのであって、白井氏はそれを革命の必然性を巡る古典的な議論の再検討によって明らかにしようとする。その古典的な議論とは、仮にマルクス主義的科学の「客観性」によって革命の必然性が明らかにされたのだとすれば、革命は放っておいても起こるのだから革命家には何もすることがなくなってしまうというものである。「(革命のために) 何を為すべきか?・」「夏にはジャムをつくり、冬になったらお茶を飲みながら賞味することだ」というわけである (六八ページ)。

もちろんレーニンはそのような立場は取らない。ではレーニンの立場とはいかなるものか。白井氏はそれを「客観性のなかにおいて在る」という一言で説明している (六五ページ)。革命家も一度は学者のように「世界の外部へ超出して世界を外側から見る」のでなければならない (だからこそ、レーニンは回りくどく、アカデミックな書物を書いた)。だが、「純粋な客体として把捉された世界に主体が働きかけることは決してできない」。したがって、「革命家にとってきわめて重要なことは、何らかの意味でもう一度世界のなかへ戻ることである」(同前)。

これはおそらく、単に現実を記述するのでもなく、単に現実に働きかけるのでもなく、記述によってはじめて明らかにされる現実に、それを記述している側が「何らかの意味で」働きかけるということであろう。これが具体的にいかなる事態を指しているのかをイメージすることは非常に難しい。もちろん、本書はレーニンにおけるその具現を描いているわけだが、読者は読書によってそれを体験したとしても、「客観性のなかにおいて在る」の意味するところをすぐさまに理解することはできないだろう。

だが、だとしても一つ言えるのは、レーニンのテクストが、「現にある世界よりもより一層リアルなもの」(五〇ページ)、結論部では「未来の現在への浸入」と呼ばれることになるものを感じさせるということである。この本はおそらく、最初から最後まで、この感覚を何とか言葉にしようとする試みであり、またそう考えたとき、本稿の冒頭で述べた白井氏の確信なるものは、この感覚をどうしようもなく受け取ってしまったことによって生じたものではなかろうかという気がしてくるのである。確かに氏にとってレーニンの思想内容も重要ではあった。レーニンの国家論の内容が実はアクチュアリティをもっていることも本書では指摘されている（一四六ページ）。だが、それよりも何よりも、氏をレーニンに向かわせたのは、彼のテクストが感じさせる異様で奇妙なリアル感そのものだったのではなかろうか。

単に現実を記述するのではなく、記述することではじめて明らかになる現実に「何らかの意味で」働きかけるようなテクスト――白井氏はそのようなテクストに敏感に反応する感性をもっている。そのことは後の旺盛な著述活動と無関係ではないはずだ。氏の代表作であり、いまや戦後日本を考える上での必読書となりつつある『永続敗戦論――戦後日本の核心』（二〇一三年）、『国体論――菊と星条旗』（二〇一八年）がまさしくそのようなテクストの実現であるのか、はたまたあるいは別のタイプのテクストの試みであるのか、これを論ずることは私の手に余る。ただ、レーニンの書物にテクストとしての異様な地位を感じ取ることのできた白井氏の感性が、氏の書物に、これまでの戦後日本論、あるいはこれまでの思想書には見られない新しい文体を付与したということは言えるように思う。

新しい思想は新しい文体と切り離せない。「戦後日本は敗戦を否認している」という仮説に対し、したり顔で「誰某も同じことを言っていた」などと指摘する者は思想と文体の関係を十分に理解していないと言わねばならない。『永続敗戦論』があれほどまでに人の心を打ったのは、あの本が「永続敗戦」という仮説（研究成果）には決して還元できないものであり、そこに新しい文体と呼ぶほかないものがあったからだ。氏の文体は間違いなく少なからぬ読者に刺激を与えている。それは氏の思想がいま必要とされているということである。

（こくぶん・こういちろう　東京大学大学院准教授）

年	事項
1913	フロイト『トーテムとタブー』
1914	第一次世界大戦(〜1918)、第二インターナショナルの崩壊
1916	スパルタクス団結成(ドイツ)
1917	ロシア二月革命・十月革命、レーニン『帝国主義』
1918	レーニン『国家と革命』、ドイツ革命
1919	リープクネヒトとローザ・ルクセンブルク殺害される、ワイマール共和国成立(ドイツ)、第三インターナショナル＝コミンテルン結成
1924	レーニン没
1925	スターリン〈一国社会主義論〉を提唱
1927	フロイト『ある幻想の未来』
1928	第一次五ヵ年計画開始
1929	トロツキー国外追放
1930	フロイト『文化への不満』
1934	大テロル(〜1938)
1936	トロツキー『裏切られた革命』
1939	独ソ不可侵条約、フロイト『モーセと一神教』、フロイト没
1940	トロツキー暗殺
1941	独ソ開戦(〜1945)
1943	コミンテルン解散
1953	スターリン没
1956	スターリン批判、ハンガリー動乱
1962	ソルジェニーツィン『イワン・デニーソヴィチの一日』、キューバ危機
1968	プラハの春
1979	ソ連アフガニスタンに侵攻(〜1989)
1986	ペレストロイカ開始
1989	ベルリンの壁崩壊
1991	ソヴィエト連邦崩壊

関連年表

年	事項
1818	マルクス誕生
1820	エンゲルス誕生
1825	デカブリストの反乱(ロシア)
1848	二月革命(フランス)・三月革命(ドイツ)、マルクス＝エンゲルス『共産党宣言』
1856	フロイト誕生
1861	農奴解放(ロシア)
1863	チェルヌィシェフスキー『何をなすべきか?』
1864	第一インターナショナル結成(〜1876)
1867	マルクス『資本論』第一巻
1869	ネチャーエフ事件
1870	レーニン誕生
1871	パリ・コミューン
1872	『資本論』第一巻がロシア語に翻訳される
1873	〈人民のなかへ(ヴ・ナロード)〉の運動起こる(〜1875)
1876	ナロードニキの革命組織〈土地と自由〉結成
1879	スターリン誕生、トロツキー誕生、〈人民の意志〉派結成
1881	ロシア皇帝・アレクサンドル二世暗殺される
1883	マルクス没、労働解放団(ロシアで最初のマルクス主義団体)結成
1887	レーニンの兄のアレクサンドル・ウリヤーノフが皇帝暗殺未遂事件の主犯として処刑される
1889	第二インターナショナル結成
1894	レーニン『〈人民の友〉とは何か?』
1895	エンゲルス没
1897	レーニン、シベリアに流刑(〜1900)
1898	ロシア社会民主労働党結成
1899	レーニン『ロシアにおける資本主義の発展』、ベルンシュタイン『社会主義の諸前提と社会民主主義の任務』
1900	フロイト『夢判断』、レーニン亡命
1902	レーニン『何をなすべきか?』
1903	ロシア社会民主労働党がボリシェヴィキとメンシェヴィキに分裂
1904	日露戦争(〜1905)
1905	第一次ロシア革命、レーニン帰国
1906	国会開設・憲法制定(ロシア)
1907	レーニン再亡命
1908	ソレル『暴力論』

マ

ヤ

ラ

索引

KODANSHA

本書の原本は、二〇〇七年に講談社選書メチエより刊行されました。

但し、巻末付録は『現代社会思想の海図《チャート》 レーニンからバトラーまで』（法律文化社、二〇一四年）を初出とするものです。

白井　聡（しらい　さとし）

1977年，東京都に生まれる。早稲田大学政治経済学部卒業。一橋大学大学院社会学研究科博士後期課程単位修得退学。博士（社会学）。現在，京都精華大学教員。専攻は，思想史，政治学。『永続敗戦論　戦後日本の核心』で第35回石橋湛山賞，第12回角川財団学芸賞など受賞。ほか『主権者のいない国』『武器としての「資本論」』など著書多数。

講談社学術文庫

定価はカバーに表示してあります。

未完《みかん》のレーニン
〈力《ちから》〉の思想《しそう》を読《よ》む
白井《しらい》　聡《さとし》

2021年12月7日　第1刷発行

発行者　鈴木章一
発行所　株式会社講談社
東京都文京区音羽2-12-21 〒112-8001
電話　編集（03）5395-3512
販売（03）5395-4415
業務（03）5395-3615
装　幀　蟹江征治
印　刷　豊国印刷株式会社
製　本　株式会社国宝社
本文データ制作　講談社デジタル製作

ISBN978-4-06-526096-8

「講談社学術文庫」の刊行に当たって

　これは、学術をポケットに入れることをモットーとして生まれた文庫である。学術は少年の心を養い、成年の心を満たす。その学術がポケットにはいる形で、万人のものになることは、生涯教育をうたう現代の理想である。

　こうした考え方は、学術を巨大な城のように見る世間の常識に反するかもしれない。また、一部の人たちからは、学術の権威をおとすものと非難されるかもしれない。しかし、それはいずれも学術の新しい在り方を解しないものといわざるをえない。

　学術は、まず魔術への挑戦から始まった。やがて、いわゆる常識をつぎつぎに改めていった。学術の権威は、幾百年、幾千年にわたる、苦しい戦いの成果である。こうしてきずきあげられた城が、一見して近づきがたいものにうつるのは、そのためである。しかし、学術の権威を、その形の上だけで判断してはならない。その生成のあとをかえりみれば、その根は常に人々の生活の中にあった。学術が大きな力たりうるのはそのためであって、生活をはなれた学術は、どこにもない。

　開かれた社会といわれる現代にとって、これはまったく自明である。生活と学術との間に、もし距離があるとすれば、何をおいてもこれを埋めねばならない。もしこの距離が形の上の迷信からきているとすれば、その迷信をうち破らねばならぬ。

　学術文庫は、内外の迷信を打破し、学術のために新しい天地をひらく意図をもって生まれた。文庫という小さい形と、学術という壮大な城とが、完全に両立するためには、なおいくらかの時を必要とするであろう。しかし、学術をポケットにした社会が、人間の生活にとってより豊かな社会であることは、たしかである。そうした社会の実現のために、文庫の世界に新しいジャンルを加えることができれば幸いである。

一九七六年六月

野間省一